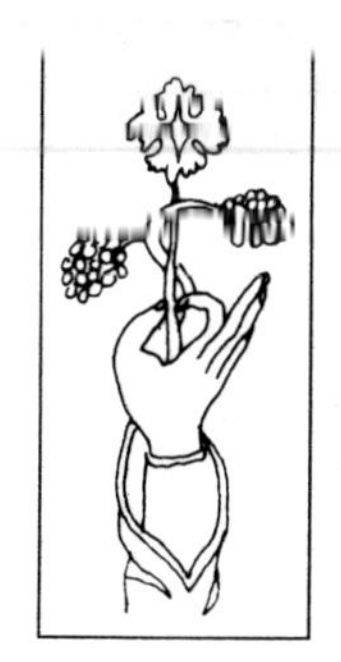

EDITION L

LYRIK HEUTE

1990/91

Auswahl Inge und Theo Czernik

LYRIK HEUTE

Gedichte

Eine Auswahl neuer deutscher Lyrik

EDITION L

ISBN 3-927932-11-6

EDITION L 7298 Loßburg/Schwarzwald
Auswahl und Gestaltung Inge + Theo Czernik BDW

Printed 1990
Satz und Druck: Ottodruck, 7238 Oberndorf am Neckar

Zum Geleit

Die Poesie ist schon oft totgesagt worden, aber unbekümmert darum lebt sie munter dahin – man muß sie nur zu finden wissen. Man munkelt sogar, sie würde in den Tagen der Nostalgie zur Massenware, aber genau genommen geht die Bücherproduktion am Bedarf noch kraß vorbei.

„Gedichte zu machen ist eine Hundearbeit“, schrieb einmal Clemens von Brentano. Damals. Verleger drängten. Das Gedicht war noch Konsumware und für den Autor ein Stück Brot. Heute drängt niemand. Wer heute dichtet, dichtet gewissermaßen unter einem inneren Zwang und nicht, weil der Magen knurrt.

Es wäre zu schön, wenn sich manche Zeitgenossen nur für ein kleines Weilchen vom Bildschirm loseisen könnten oder von einer Illustrierten. Zum Gedichtband gegriffen! Fünf Minuten Besinnung! Meinetwegen in der Dämmerstunde oder im EC zwischen Frankfurt und Basel. Aber es ist gerade die Besinnung, die man fürchtet. Dabei ist Lyrik liebenswert. Sie schlägt sanfte Saiten an, erhebt auch drohend den Zeigefinger, sie tröstet oder eifert – aber gleich, was sie sagt: sie erhebt keinen Anspruch auf Unfehlbarkeit. Lyrik ist liebenswert. Und liebenswert soll der Leser auch diese Anthologie finden.

Die Herausgeber

Lisa Stromszky

Abend,

langer Abend.
Sommerstundenspiel
mit Licht
und Gewölk,
mit dem Fluchtflug
der Vögel
zu Nestschutz
und Laubdach.

Heimkehr
aus Fernweh
und Erinnerung.

Ankunft,
während lautlos
der Tag verbrennt.

Außer mir

Umarmt
vom Gravitationsfeld
des Sommers.
Mir entstiegen.
Mir entronnen.
Mir entfremdet.
Ein Punkt Glück
auf der Kreisbahn
der Tage.
Geflügelt
für die Weile
der Lichtflut.
Abgehoben
nach außen.
Mündend
in einen Wirbel
unerwarteten Entzückens.

Ist dieser Frühling

mein?
Dieses Himmelhochjauchzen
der Narzissen,
das Streichen des Windes
über die aufgebrochene Freude?

Nichts ist mein.

Geliehene Welt,
in die ich mich
gepflanzt habe,
die meine Wurzel duldet,
mein Blühen und Vergehen.

Nichts ist mein.

Aber das Herzflattern
und das Kurzatmen
meines Glücks
darf ich mir nehmen
solange ich
den Frühling durchhalte.

Beate Geist

laß uns
das gold zurücklegen
in die sonne
verlockend tödlich
samtig verschlingend
ist das mitternachtsblau
doch jetzt ist die zeit
für glanz und leben
einen tageslauf lang
am ende wollen wir wieder
die decke herunterziehen
und mitternachtsblau
nur träumen

der garten

einsamkeit ruht
im fensterlosen gemach
himmelhoch gewölbt
ein blattgemustertes tausendgrün und
hundertbraun
gefangene schwermut
goldbeben
die zitterblauen flügelstimmen brechen
in elastische streifen
und schlüpfen
vogelgleich fedrig
durch körperlose gitterstäbe
in andersfarbige freiheit

zikadenrufe
samtige augustnacht
das fischmaul
steinig drohend geöffnet
körper in grauweicher pose
seid ihr lebendig
oder nur träumend
ist da ein leises
sprechen
fragen
antworten
ich stehe
und horche
und verstehe nicht
nur nachtfalter stören
die träglaue luft

Ursula Beseler
junger tag

junger tag
kein grund zum jubeln für mich
ich habe
zu viel hinübergenommen vom
alten tag
der hängt noch in meinen kleidern

ich hör nicht das jubilieren
der morgenvögel
bemerk nicht
wies silbern blitzt auf
der lichtung hinter den stämmen
ehe das grün
die gräser vereinahmt

mir klebt
das gestern noch an den sohlen
der unbewältigte tag
der mein heute verschlingt

raub

am abend
wenn der tag falten bekommt
die dämmerung
die letzten stimmen
verschluckt und
eisengitter juwelen und pelze
bewachen
dann setzt die city ihr
aufgespartes gesicht auf
der glückliche brunnen
holt sich die sterne herunter
und ich raube mir meinen und
nehme ihn mit mir nachhause

im falschen boot?

ich verschanze mich
hinter dem schirm
meiner kleinen hoffnung
verjage die angst
die lerchen könnten
eines gespenstischen tags
das singen
die rosen das blühen
verlernen

ich scheuche die furcht
- gepfercht mit den brüdern
auf endlicher erde -
wir säßen alle zusammen
im falschen boot

Gabriele Baur

Deine Vögel
sind zu schwer geworden
im langen Käfigschatten
Trotzdem
die Hände öffnen
aus denen sie auffliegen
an Ostertagen
Schwarze Federn
bleiben zurück
Federn
für ein neues Nest

Herbst

Mit den Illusionen
der hellen Tage
die nun faulblättrig
Wege zudecken
nicht auch
Visionen
begraben
Oktoberrot
mahnrufen sie
schreiben sich hinein
in Erinnern
für ihre
kommende
Zeit

Nicht einmal
abzubilden
ist die Wahrheit
mit Worten

Wo ist dann
was wahr ist?

Doch im Wort?
Im Wort
das neben sich
mehr weiß
das nächste Wort
herausschält
Schale um Schale
nach innen

Den Kern aber
den Kern
trifft kein
Wort.

Johanna Anderka

Kindheitsstraße

Dieses einmalige Blau
zerschnittenen Himmels

Schattenwächter
die Häuser
in ihrer Schlucht
hallt mein Schritt
auf den Buckelsteinen

Warum nur
alle Kindheitsstraßen
schwarz und eng
und blau
die frühen Himmel

Warum diese Augenfenster
verschlossene Münder
die Türen
und Risse
in allen Pflastern
der Erinnerung

Warum diese Angst
am Ende der Straße
wo Hände sich lösen
die führten
diese Trauer

Deutsch – deutscher Besuch 1990

Wenn nur das eine bliebe
keine endgültigen Abschiede mehr
Fallbeile über Tagen
des Begegnens

Nicht mehr dieses Gucklochspiel
dieses wenn und auch und aber
diese eingeübte Suche
nach dem Vorzeigbaren

Einen Sack voll Neugier
dafür eingetauscht
Zeit ihn aufzubinden
und Vertrauen

Gehen weitab aller Fluchten
Händereichen für ein Wiedersehen
wenn nur dies allein uns bliebe
bliebe viel

Breslau – wiederaufgebaute Stadt

Die flächigen Wunden
mit sterbendem Gras verschorft
brennen noch immer
auch wenn sie jetzt Plätze heißen

Alte Kirchen sind es gewöhnt
verwundet zu werden
doch Narben verändern
nicht nur ein Gesicht

Manche Städte
sind wirklich gestorben
nichts blieb
als ihre Namen

Sie tragen sie voran
wie Transparente
wie einen Spruch
den die Zukunft übersetzen muß

Norbert Schmid

Weites Herz

In jeder Pore klebt der Tag,
Pocht nach vorn
In deine Klappen,
Die sich abends weiter öffnen.

Du kommst! Du streckst
Mir deine Haut entgegen, hälst
Deinen Mund an meinen Mund,
Pochst mir die Adern leer.

Wirst eins mit dem Nachtlaken.
Kommst, liegst
Nahe dem Staubkorn meiner Seele,

Liegst bereits
In der späteren Stunde,
Im Grottenton,

Trittst ein in deinen Moment,
Der nach vorn vergeht
Und weitest mein Herz.

Leicht Und Offen

Dein Haar, zeitgebündelt, voll
Von Klostern, Schneewolken,
Den unteren Himmeln, den Gräben
Im Schloßhof, den tieferen Brunnen,

Die aus der Sehnsucht schöpfen.

Hier
Trugen wir die Zeit davon,
Sahen den Pflug, die Kröte
Mit geteilten Augen und waren hier.
(Du warst. Ich war ...)

Schliefen mit dem Nachtstern,
Schöpften seine Wunden leer,
Kamen gegen Licht und Haut,

Schliefen leicht und offen.

Ein weiteres Ende trägt sich tiefer
Ins Gedächtnis, schlief mit dem Tagstern.

Du aber bist in den Namen,
Sprichst dich davon,
Schläfst mit dem Nachtstern.

Flugzeichen

Dich flieg ich an: Sonne,
Mond mit dem Klingeln
Der Wecker.
Dich vergehe ich; Zeit.

Dir gebe ich mein Wort; Wort,
Satz und sage; später
Planen wir für später,
Ausgeliefert dem Wurm.

Dich verplane ich; Plan,
Sage; es kommt anders
Als geplant.

Dich nehme ich; Mut,
Liebe, dich und dich, gebe
Dich nicht zum Absturz frei,
Lande in deinen Armen.

Marianne Herr

Die letzte Tür

Tausend Jahr geträumt
tausend Jahr versäumt.
So viele Türen schon verschlossen
im Märchenheim –
tritt ein,
offen
wird die Letzte sein.
Die weisse Eule
das bin ich
der Rosenstrauss
ist mein Geschenk
für dich.
Komm,
lass uns träumen
du und ich
den Tod versäumen
umarme mich.

Zu viele Vögel

Zu viele Vögel
die auf einen Nistplatz warten
in meinem Herzen
und mir Kuckuckseier legen
zu viel Arbeit und Mühe
die beschwerliche Brutzeit
die gefräßigen Jungen
die meine Kammern leeren
die Flügellahmen
die mir bleiben
und wie selten
eine Lerche
die aufsteigt zum Himmel
mit ihrem Gesang

Der alte Kapitän

Als der Tod schon
in der Ecke saß
und den Lebensfaden maß
entschloß er sich
zu einer letzten Flucht
Er sah das Bild
an seiner Wand
ein weißes Schiff
in einer blauen Bucht
Er beugte sich und
ließ sich kleiner werden
und fühlte
dies war noch kein Sterben
Und als er kaum noch
sichtbar war
stieg er
ganz leise in das Bild
und schlich sich
auf das weiße Schiff
Er lenkt es durch das Felsenriff
er hält das Steuer fest im Griff
der alte Kapitän

Franka Schütz

Jedes Jahr im April

diese Stunden der Vögel
frühmorgens
rühren an
jene Zeit
als ich dich stillte
gegenwärtig
geben sie
Raum und Ruhe
dich sein zu lassen

manchmal möchte ich dich
mein kind
nur sehen können
für eine minute
für eine stunde
lächeln würde ich zu dir
und still sein
wenn du dann nach wochen
wieder kommst
erfüllt mich große dankbarkeit
die meine trauer
tragen hilft

für Reiner Kunze (2.2.89)

diesseits klagen deine
ohnmächtigen gefühle an
die mauer

jenseits winkt dir
deine mutter
ohne abschied

voller trauer
hält dein langer atem
warm

in deinen gedichten
perlen
schwerkraft und hoffnung

Karsten P. Sturm

Unsonett

Lustlos kauen wir späte Märchengestalten
An den Jargons herum überall ein wenig
Hardcore Software Gene Technik für den
Hausgebrauch ganz ohne Falten
Süßholz auf Typenrädern sehnig
Nach geistigen Klimmzügen
An eigene Ideen ach! Es ist so wenig
Im großen Ganzen viertausend netto
Bis zur Rente eine Million und ein paar Lügen
Kleine Korrekturen am Sprachgebrauch
Die dich lähmen

HUNDERTJAHRESASCHE ohne Gefühl
und Freude
am Aufflammen
unserer Sonne im Norden
flüchtige
Küsse hinter verregneten
Fenstern
im Kopf schmale Streifen
von Video
draußen
das Brummen täglicher Transporte
helle
Stimmen von Schulhöfen
Fröhlichkeit
hält innere Einkehr
sucht nicht
nach Metaphern
die wir zwei
nicht verstehn
Der Wind
streift durch Augustblätter
und Humor
schlängelt sich
aus alten Formen
träumt
von gewissen Erbschaften

Wolfgang Schröder
Über verbale Brücken

Über verbale Brücken
hohes
Wahrheitsvermuten

Schwindelfrei nicht –

Da lockt
Gedankensturz

Metapher
freien
Falls

– Unten
wie irgendein Vergleich
hinkt
es fort

Auftritt

Von hier
über Zeilen-
sprünge

hinab
ins Tiefere
dort

ohne Licht
der Worte
Abgang

In den Sand

In den Sand
schreiben
Sätze unter
die Steine

ins Meer
auch
in den Wind
gegen ihn

oder nicht
glühend
in Asche schreiben
vom Feuer

fürwahr
den Atem anhalten
im entgleitenden
Rauschen

Christel Zahl

Der Traum vom Frühling

Du träumst deinen Traum
und in dir wächst das Hoffen
Du siehst das Seidenlicht
das alle Pflanzen weckt

Doch merkst du kaum:
die Nebel stehen offen
Die Keime drängen dicht
noch tief im Gras versteckt

Ja, träume deinen Traum
und spür' des Windes Weben
Im Staunen ruht die Welt
Der Lerche Lied erwacht

Noch siehst du kaum
im Traum die Knospen streben
Vom Sonnenlicht erhellt
zerfließt die dunkle Nacht

Die Baumblüte

Die Blätter stehn im Schweigen
Vom Sonnenstrahl geführt
sich alle Knospen neigen
vom Warmlichtglanz berührt

Es geht ein stummes Singen
langsam vom Ast zu Ast
Ein nie gehörtes Klingen
ahnt schon der Früchte Last

Willst du das Lied verstehen?
Dann lausche Tag und Nacht:
Die Gnade läßt geschehen
was Wollen nicht vollbracht

Willi Volka

Am See

Weiße Sägeblätter
ritzen
breite Wolkenbretter,
Schemen, die verwehn –

Gegen Wind und Wetter
knirschend wandern,
fröstelnd sich am
Geländer verankern –

Im Kiele wirbeln
Gedanken,
Wolkenglühn,
nur nicht wanken –

Kräuselnde Schatten
mit Himmel vereint,
im glimmendem Schäumen
die Fähre weint –

Am plätschernden
Ufer spähen,
trotzen dem wehen
Vogelschreien –

Dem Wellenklatschen
sich entziehn,
hinter Scheiben fliehn,
sinnend sein Leben betrachten –

Weiße Sägespitzen
ritzen
wehende Schemen,
die vergehen.

Arterhaltung

Ein Auspufftopf
reicht,
die würzige
Morgenluft
üppiger
Vorgärten
zu verkochen –

In den Bunker
eures Museums
fährt
jahrtausendaltes
Gestein,
von schöpferischer Hand
einst
zum mähnigen Löwenkopf
gehauen –

Unaufhaltsam
krümelt
seine oberflächenbehandelte
Nachbildung
zwischen den
Motoren
in den Schutt
der Geschichte.

Friedhelm Sikora

[illegible]. Februar

Noch einmal das zähe Verrinnen
des Winters im Gully der Zeit.
Frag nicht mehr: Was will da beginnen?
Frag, ob du – wie sagt man – da drinnen
noch Platz hast für Wehleidigkeit.

Entzündete Himmelspupille:
von Eiter umtränkt Rot und Gold.
(Wie oft noch?) erweist sich: mein Wille
ist mehr als Papier, Stift und Brille –
und weniger, als ich gewollt.

Die Menschwerdung? Daß ich nicht stöhne!
(Mein Stegozephalen-Gesicht!)
Ein frackvoll korotkoffscher Töne –
Vom Urknall bis Müller & Söhne;
man fragt sich: Was stimmt denn da nicht?

So stehn wir in schlüpfriger Lache
und faseln vom struggle for life.
Komm, holder Lenz, endlich zu Sache
und, was uns noch fehlte, das mache
teils grün und teils abschreibungsreif.

16. Juni

Was du dir längst als Besitzstand gepriesen,
Meerblick mit Fischern, den Bug in der Gischt;
dorischer Würzwind um keltische Wiesen,
ist schon zerronnen, entwischt.

Wie ein Flamingo beim Flachwassertreten
zieht jetzt die Seele ein Bein untern Bauch.
Deine Mirakel und Abnormitäten:
Schall oder bestenfalls Rauch.

Schließe die Blende und kram aus der Truhe
nochmals die buntesten Irrtümer vor.
Gib was du willst, aber gib endlich Ruhe!
Scusi. Permesso, Signor.

Trink den pastellenen Wein des Vergessens,
froh daß die Erde dein Abdruck nicht drückt.
Festländer, Inseln? Ach, meines Ermessens:
je nachdem, wie man sich bückt.

4 August
(Charon)

Abend, fast meergrün, etüdendurchzirpt;
Traumhändler schütteln ihr Eimerchen Lose.
Ob sich dein Aas um den Laufpass bewirbt,
eh hinterm Acker die Windrose stirbt
an ihrer Blattrandnekrose?

Schwamm in der Welt wie der Fisch im Aspik,
maß mir die Ortszeit nach schäumenden Litern.
Schürfte die Wahrheit mit gotischem Blick,
zwecklos. Kein Weg führt von Quantenphysik
zu meinen Neurotransmittern.

Molk mir die Tage in's morsche Gefäß,
ließ mir die Kennzahl ins Soldbuch eintragen.
Punktum. Der Mond hängt mir ordnungsgemäß,
kalkig und platt wie ein Maurergesäß
über dem Galgenholzschragen.

10. September
(Melancholia)

Was euch noch in Gedanken blieb:
Vernarbter Horizont und drüberhin
der Damaszenerstich des Schwalbenflügels.
Um welke Weiher glüht, zu spät, der Brombeerkuß.

Zersplitterte Mondmandoline,
dem Nachtgeäst ins bebende Kleinholz geschnürt.
Im blauen Stakkato der Asterngerüche
haben die Grillen den Sommer storniert.

Helga Wenzel-Glis[illegible]

Wirkende Wirklichkeit

Die
Luft ist so klar
durchscheinend
der Äther
als
wollte er
Ewigkeit lichten

Das
Blau des Himmels
streichelt
mein Herz

Läßt
Sehnsucht
erwachen
wie
Blumen sich öffnen
und
tänzelnd
sich
schmiegsam winden
ins
Licht

Ich
möchte
Atem holen
– windgetragen –
aus
Weltengrund

Mein
Herz möchte pochen
im
Rhythmus
des
Alls

Ohne Titel

Was
alles
deckt
Schweigen
zu

Was
alles
die
Lüge

und
Gott
darf
wohl
nicht
reden

Er
weiß
zu
viel

Freitod?

Wer
zielte wirklich auf Dich ab

Wer
schoß Dich denn so
wund und weh
und
drückte Dir den Stachel
tödlich
in Dein Herz

Wer
nahm Dir das Wort

Jetzt
winden sich Lügen
um Deinen Tod

Betörend
duften solche Blumen
den Menschen
betäubend und süß

Die
Schuldigen kleiden sich
makellos

Ihre
vergifteten Pfeile
deckt
Dein Grab

Immer noch
atmet Deine Not

Immer noch
höre ich in mir
Deinen verzweifelten Schrei

Helga Roloff
zen-gedanken

das leben ist jetzt
nicht gestern
nicht morgen
was war
und was sein wird
gedankenballast
nur das hier
und das heute
ist entscheidend
nicht ob man weint
oder lacht
daß man es tut
und ganz und gar
und so
mit jeder faser spürt
was leben bedeutet
und so
den letzten augenblick
der jetzt gerade sein kann
nicht mit der last
des gestern und morgen
vergeudet

Wir wollen nocheinmal kinder sein

komm
wir wollen
noch einmal
kinder sein
komm
laß uns laufen
hand in hand
endlos
zeitlos
ohne zu fragen
wohin
und wieweit
ohne zu fragen
ob tag
oder nacht
ohne zu fragen
nach irgendeiner zeit
komm
wir wollen
noch einmal
kinder sein
laß uns fassen
an den händen
und tage
und nächte
und unsere liebe
verschwenden
ohne zu denken
zeit muß enden

Gisela Dreher-Richels

Erinnerung

Vor Anker
geht
Glück
nicht.

Du suchst vergebens
am alten Ort

seither
ist er ausgesogen
von dir

laß ihn
er soll überwachsen.

Was
suchst du
an einem Ort
ausser
dir?

In Einklang

Ich schick meine
Lichtwurzeln
aus.

Ich atme
Sonne
ich wag
den Sommer

vom Überschwang
endlich
bezwungen

im großen Geläut
ein
Ton.

Dämmerung

Wo
Nacht dir
den
Tag
gesungen

Tag dir
die
Nacht
geträumt

in den Segeln
der Dämmerung
ungeschieden
webt
Hell und Dunkel.

Du gleitest die Ufer

wo
Tag und Nach
sich lieben

trägt dich
der Welle Atem

der Laut
der Stille.

Hildegard Büyükeren

Sternbeuge

Rothaar der
Nacht
Stern-
beuge

steige über den
Fluß und
bleibe einen

Schwingen-
schlag lang
in dem sich
Äonblick
spiegelt

Schwellenworte

So
finde ich
schmerz-
wärts
dich im
Birken-
gefieder da es
blaut vor
Abschied noch

legt deine
Taghand mir
Wortsiegel eines
ganzen
Lebens auf die
Lider: die
gesprochenen und die
ungeborenen und ich

gieße
meine
Worte
erlöste und die mit
gebrochenen
Schwingen in

deinen
Händen-
kelch

Wortwendung

Laut-
scharmützel im
Weben des
Wortschatten-
baumes

Silben-
kreuze am
Ich-Faden

steig ein in die
Namenswelle des
Schweigens ge-

karrt bis ans
Stirn-
licht

Elsbeth Corde

Umgestaltung

Ich hab ihn lieb. Mein Wesen ihn umfaltet,
mein Atmen dehnt sich aus dem seinen.
Mit Bergen wird, mit Blumen, Wassern, Steinen
der Erde Antlitz umgestaltet.

Ich liebe ihn. Im äußersten Entbehren
verwandle mich, daß ich ihm treu begegne.
Umfalte mich, damit ich liebend segne
auch dann, wenn Flammen mich versehren.

Einprägung

Ich hab ihn lieb. Mein Wesen ihn umfaltet
tiefinniger, als je mein Kuß es könnte,
wenn seines Lebens Atem in mir brennte,
wenn er mich nennen dürfte im geheimen.

Sein Bild erstrahlt in mir mit hellem Scheinen
und ist mir eingraviert ganz zart und eigen.
In Lied und Wort, in Lärm und Sturm und Schweigen
werd ich's gewahr. Und sehe mich entfaltet.

Besitz

Die Sonne trink ich, die der Herbst noch schenkt:
Erinnern nur, und doch ganz Gegenwart,
in der ich blühe wie auf hoher Fahrt,
weil mir dein Bild so tief ins Herz gesenkt,

daß Abschied, Trennung es nicht lösen kann
und auch mein Wille keineswegs, er sei
selbst irgendwie bereit, dich gänzlich frei-
zugeben. Aus mir blickt dein Sein mich an.

Kurt Konrad
Tag und Nacht

Tags
hocke ich
im Steinbruch
und klopfe
Wörter.

Nachts
huste ich
Staub ab
oder träume
von mörtellosen
Gefügen.

*

Seismogramm

Du gehst
ganz leicht
vorbei.

Doch
mein Gedicht
aus Stein
zeigt
erste Risse.

Sühne

Soll ich mir
Schreibverbot
auferlegen –

oder mit Versen
auf Ablass hoffen?

*

Ehrlich

Bin ich,
im Gedicht.

Der Rest
ist Notlüge.

Otti Lohss
Oratorium (Salzburger Festspiele 1977)

Jeanne d'Arc au bûcher

I

Schwester …
weinende Klage
schmerzlich im Wind
über die Normandie,
so allein
über Rouen
leuchtendem Land, –
aber das Echo
tönt aus dem
dumpfen Kerker
deiner hilflos gefesselten
Kettenhände,
nachterblindet
tränenerstickt …
heute und
morgen …
»Schwester,
wo und was immer du
leidest, denk meiner
Qual und Verzweiflung« …
»Doch die Freude bleibt,
die da ist die stärkste,
… und die Liebe, größer noch
als sie …
und die Hoffnung« –
hörst du – Schwester,
wo immer –
die tödlich offene Tür
Hoffnung …

II

Bruder Dominique –
das bist du nicht,
hart, unbeteiligt
(warum hat es dir niemand
gesagt –)
sprichst du an dem
armen Mädchen
vorbei ...
Ihr Grauen
(wer will's auch
hören –)
berührt dich nicht,
du verstummst,
lautlos.
Das ist nicht der Bruder
Dominique,
seine Aufgabe
ist
anders. –
Sie tastet weiter,
allein
durch Feuer und Dunkelheit –
allein, ganz allein ...
hörst du
die Stimmen ...?

Karl Leonhardtsberger

Strandgeher

Meeräugiger Strandgeher
nicht ruhst nicht fliehst
nimmt Zeitstufen – dein Tritt
dein Gang am Windseil
dein Birkenritt
dein Sang – den Möwen gilt er

Schaumkronen gischten Fischen Richtung
Uferlos atmen dem Tag die Gezeiten

Atemgitter

Krall dich Wind fest
spei Atemglut dem Zeitengeher
durchglüh den Ferntraum
gib hitzenden Stirnen Wolken

tagnaher Zeitstrauch
blühst Atemgitter versprengter Nacht

Arno Volker Meier

Für Irlo

Zwei Gegensätze auf der Welt
sind einmal schwarz und weiß
Die Wunden die es hinterläßt
sind gleich
bei kalt und heiß
Wer einfach ist
begreift nicht viel
und wird nicht viel verstehen
begreift niemals des Weltalls Spiel
vom werden und vergehen
Geburt und Tod
wie Tag und Nacht
der Körper wie die Erde
auf daß der Himmel seelengleich
mit ihr vereinigt werde
Wo dunkel ist
kommt bald das Licht
der Tag gebiert die Nacht
Wer Schmerzen leidet
dem wird bald
auch Freude dargebracht
Wer andere nicht hassen kann
der kann sie auch nicht lieben
Wer glücklich und besitzlos ist
hat keine Angst vor Dieben
Zwei Gegensätze auf der Welt
sind einmal schwarz und weiß
Die Wunden die es hinterläßt
sind gleich
bei kalt und heiß

Nachts
wenn Hexen
das Sternentuch ausbreiten
und es dunkel wird
wenn die Traummaschinen
schweigen
und ein Funken Leben
durchbricht
bei den Toten
schreien die Herzen
bis der Schlaf kommt
und sie erlöst
– für eine Weile

Drei Tode
bin ich mit Dir
unter demselben Dach gestorben
Dreimal
zu einem langen Leben
am Morgen erwacht
Dreimal
warst Du ein Teil der Wolken
die über meinen Himmel zogen
Dreimal
die Sonne, die meine Blätter beschien
Drei Ringe
in meinem Stamm
die erzählen
daß Bäume vielleicht –
auch nur
verzauberte Menschen sind.

Karl Heinz Grimme

Impuls

Dahin treib ich –
in meinen Träumen
reißt schon der Herbst
die Blätter von den Bäumen.

Obwohl noch Sommer sei,
laut Kalenderblatt geheiß,
kam er mir schon abhanden
über Nacht und leis.

Was bleibt, ist zu erinnern
und den Blick voran,
sowie das Wissen – Ende
heißt, doch von Vorne an.

Über den Untergang
hinweg –
ohne Auswege
in petto.
Ist unser Fort-Schreiten
noch Fortschritt,
noch der Versuch
des aufrechten Gangs?
Oder fallen wir
nur noch
von einer Gesetzmäßigkeit
in eine andere?
Klebend
an haltlosen Stühlen …

Max Philipp Fraaß
Regen auf der Alb

Auf den Bäumen knien bleiern
Regenwolken; blöde grinst
aus den windgeblähten Schleiern
nebelkäuendes Gespinst.

Wiesen modern dampfend, schäumen
glitschig über einen Hang,
und Wacholderbüsche träumen
tief im nieselnden Gesang.

In den Abgrund fallen Lichter,
die ein ferner Himmel sät.
Bleiche, felsige Gesichter
lächeln auf wie im Gebet.

Stille dringt in alle Poren;
Farben werden grau umstellt.
Selbstvergessen und verloren
sinkt die aufgelöste Welt.

Und ich sammle aus dem Sinken,
wie in einen leeren Traum,
das geheimnisvolle Winken
eines Lichts aus weißem Raum.

Türmer des Nichts

Stürzen die Blicke so tief
in den Abend hinab,
ist es, als fiele ein Brief
in ein offenes Grab;

ein Brief, der sich morgens schreibt
an die erwachende Zeit –
jetzt, da sie mir nicht mehr bleibt,
spür ich Verlorenheit;

und frage ich nach dem Sinn,
nach den Wurzeln des Lichts,
weiß ich nur eines: ich bin
einsamer Türmer des Nichts.

Gewitter

In Bäumen dehnt sich Wind,
der lang geschlafen hat
und nun erwacht. Noch sonnenblind,
noch ungelenk und matt

setzt er sich auf und spricht
erschrocken ein Geheimnis aus.
Ein weißes Tiergesicht
ruht über einem Haus.

Die Wolken werden groß
wie lockige Giganten
aus Träumen Michelangelos,
gemalt auf einem ausgespannten,

gelbvioletten Pergament.
In ihren Fäusten blinkt
ein Bündel Blitze. Luft verbrennt
und Donner hat das Dorf umringt.

Der Wind springt auf; verletzt
stürzt er davon, entflieht
gejagt und von sich selbst gehetzt.
Nichts mehr in ihm ist Lied.

Das Tier trinkt mit den Augen
blutiges, zermürbtes Licht,
und seine Lippen saugen
das Dunkel aus dem Himmel, der zerbricht.

Juliane Chakravorty

Aus der Ritze in der Mauer …

Aus der Ritze in der Mauer
sprießt eine Blume.
Froh empfange ich
ihre Botschaft:
Noch
besteht Hoffnung.
Noch
bricht das Leben
triumphierend aus den Fehlern
in unserer Konstruktion.

Kommunikation

Noch
kennen wir die Worte,
bloß
wir haben vergessen,
was sie bedeuten.

Perfekt
beherrschen wir alle Mittel
der Kommunikation,
bloß
wir wissen nicht,
was wir uns sagen sollen.

Exil

Mein Haus
habe ich verlassen,
mein Land.
Von meiner Sprache habe ich
Abschied genommen.
Bloß von meiner Seele
kann ich mich nicht trennen.
Hartnäckig lebt sie fort
in den fremden Worten,
bleibt der kleine,
falsche Akzent.

[illegible]

Herbst

Herbst erfüllt die Atmosphäre,
lichtes Blau des Himmels Raum.
Wenn der Wind so stark nicht wäre,
hingen Blätter noch am Baum.

Auf den ausgedienten Beeten
liegt des Baumes schönstes Kleid,
blind und achtlos plattgetreten
von den Menschen ohne Zeit.

Drohend dröhnt die Atmosphäre:
Düsenjets, die donnernd störn. –
Wenn die Welt doch stiller wäre,
um des Herbstes Lied zu hörn!

Tod und Sein

Lichtsträuße will ich dir schicken. –
Mögen sie in deinen Blicken
Rosen meines Herzens sein.

Lichtkränze will ich dir binden,
Trän-Kristalle dareinwinden
aus der Seele Sonnenschein.

Rosen-Diamanten-Lichter,
Leid- und Seligkeitsgesichter,
ein Gesteck aus Tod und Sein. –

Katja de Vries
Rauschende Stille

Du rauscht wie der Äther des Universums,
atmest seine Größe aus
und belebst der Menschen Blut
mit Harmonie und Schönheit.
Du pulst durch ihre Nervenbahnen,
läßt ihre darbenden Seelen aufblühen
und verbindest sie mit zarten Blumengirlanden.

Medizin unseres zerfetzenden Wohlstandstrebens
heilst du wunde Seelen
und umhüllst sie mit Seidenschleiern.
Stille – herrliches Geschenk des Lebens!
Wie köstlich ist es,
sich dir hinzugeben,
sich in dir zu sonnen,
sich in deine Fluten zu tauchen
und gestärkt aus ihnen emporzuschweben.

Erquickende Stille!
Du labst uns aus Quellen ewiger Jugend,
du vermittelst uns die Größe des Himmels.
In dir möchten wir ganz und gar versinken.

Verwühlungen

Ist der Mensch er selbst?
Oder wird er bereits im Mutterleib
vorprogrammiert?
Und dann von der Umwelt getrimmt.
Denn welche Seele könnte glasklar und mild
wie ein ruhendes Gewässer im Leben umherplätschern,
umduftet die Umwelt sie doch nur selten wie eine Rose,
sondern meist verschlingt sie die zartbesaitete,
glühen doch Sternenträume in ihr,
seine Umgebung aber meißelt ihn zurecht,
knetet ihn unbarmherzig,
damit er zu leben vermag
in einer Welt kleinlicher Voreingenommenheit.

Durch Lieblosigkeit verhärtet,
durch Lügenhaftigkeit verunsichert,
durch Enttäuschungen mißtrauisch gemacht –
welche Seele schreit da nicht auf?
Der Mensch aber muß weitertaumeln,
mit Ballast schwer behaftet,
bis er sich selbst nicht mehr erkennt.

Dirk Kudla

Nur Kopien

Schon mal gedacht
sind die Gedanken
die ich habe
schon mal belacht
die Witze von mir
schwer zu verstehn
daß unser Leben nichts
eignes ist
schon mal gefühlt
selbst die Gefühle
nur Raubkopien
und sonst nichts.

Die Liebe ist ein Galgenstrick

Die Liebe ist ein Galgenstrick
Die Welt ist ein Verlies,
Ein Bein versinkt wie tot im Schlick,
Das andre man dir ließ.

Der Satyr hat sich aufgehuckt
Und quält dich jede Nacht,
Du hast nich einmal aufgemuckt,
Verloren ging die Schlacht.

Die Wirklichkeit ist eine Farce,
Einbildung oder Traum;
Die Götter nehmen lächelnd Maß,
Sie woll'n auch dich verstaun.

Nicht schrecklich ist, was tags geschieht,
Die dustre Zeit, die lenkt
Das Hirn, und eh man sich's versieht,
Hast du das Glück verschenkt

Werner Helmut J. Schmidt

Von meinen Liedern

Von meinen Liedern, die ich liebe,
sind einige von Worten schwer;
gefiltert durch des Daseins Siebe,
trag' ich mit Wehmut sie einher.

Gehalt der Sprache, Poesie
stets mit in meinem Leben geht;
der Weg zu Form und Melodie
im Schlaf schon in mir aufersteht.

Doch könnt' befrein ich mich vom Drange
– dem Muß, der Last – Poet zu sein:
was wär' ein Streben fern dem Klange
der innren Stimmen …, wär's nicht Schein?

So trag' mit Liedern, die ich liebe,
ich häufig Traurigkeit einher.
Nehmt meine Verse …, wünsch' mir, bliebe
Erinnrung an mich …, was sollt's mehr?

Himmelskunde

(In Respekt vor dem Denker Stephen W. Hawking, Physiker und Mathematiker)

vor mitternacht

gedankenflug aufwärts
des denkens höhensturz

sternteile enteilend
in schächte des firmaments

innere schau
in die weite des raums

ideenzerrissener himmel
hoffend auf gelenkstützen
tiefgründiger poesie

des grübelns zerklüftete landschaft
sprachhügel
abgründe des ausdrucks
wortnetze sinngebend zielgerichtet
wegweisend zur gipfelhöhe
des forschens

zeitprobleme

raumzeit-rätsel entzaubert
„präzise“ errechnete jahrmilliarden
letzte fallende schleier
vor astronomischem durchblick

kein anfang, kein ende des universums
keine räumliche grenze
kein plan eines höheren wesens

aufreißen möcht' ich
zu gestirnbögen
die seelenschübe
bewundernd
den nicht geschaffenen kosmos

entflechten zu können
wünscht' ich
im fernruf von lichtjahren
entschwindende schöpfer-apotheose

doch wie ein geysir
– o bitterer trost –
lebt gott
gelegentlich
oder auch öfters
noch in uns auf

inzwischen
nach mitternacht

Auf Flügeln der Schönheit

Wie sollt' ich's nicht verstehn,
daß immer wieder
dein schönes Antlitz
mich zum Liede hin verdammt ...?
Im Windeswehn
aufseelet das Gefieder,
Purpur des Himmels,
urbeginn-entstammt.

Ach, könnt' ich spürn und sehn,
daß alle meine Lieder
dich tief berühren,
streicheln dich wie Samt.
Müßt' ich vergehn,
ich trüge, auf und nieder,
dich mit ins Weltall,
sternwärts, lichtentflammt.

Luise Spiering
Wenn Herbstzeit ist

Der Sommer singt sein letztes Lied
Vogel Sommerlicht fliegt noch einmal
aus der Nacht in den Tag

schon leuchtet das Herbstfeuer weit
die Mäuse tanzen Herbstzeit

doch wenn der Himmel aus den Wolken fällt
schon der Winter aus dem Nebel steigt
dann ist Abschiedszeit.

Sommerträume

Wir wollten
Gipfel stürmen
Wolken besingen
Schweigen der Wälder brechen

doch du gingst
auch ich ging

unsere Sommerträume
sind im Schnee versunken.

[illegible]

Gottvertrauen

Warum der Zeit
alle Schwere nehmen?

Gibt doch der Schmerz erst
der Freude das richtige Maß,
bringt die Enttäuschung
den Wandel ins Glück.

Im Stillen will Hoffnung
Verstrickung aus Trauer lösen,
daß ausgewogen die Reife
mit der Zufriedenheit sei.

Austariert jede Gleichung!

Flügelschlagleicht
nun die Zeit,
das Vertrauen zu Gott
trägt alle Last.

Vergiftungen

Es fallen Worte wie Tropfen
in offene Schalen.

Wache Sinne
fangen sie auf,
bergen als Kleinod sie
behutsam und still.

Böse Neugier
zerpflückt sie,
mischt die Buchstaben neu
wie ein Kartenspiel.

Es fluten Worte durch Ohren
als Gedanken ins Hirn.

[illegible]

Jemand flüstert mir zu

Die Mitte der Dinge
schläft
oder kreist stumm
am Horizont,
langsam mahlen die Mühlen,
doch nirgends rinnt mehr das milchweiße Mehl,
zerriebene Kiesel markieren
den Massewahn – Pfad.
Heute
endlich
war ich zum ersten Mal
ganz allein mit mir.
Täuschung oder nicht Täuschung,
es bleibt dahingestellt,
macht aber nichts aus,
heute sah mich
der innere Mensch,
dieser ruhlose Wachhund,
gelbäugig an,
das Gehirn
verlor sein Gewicht,
die Augen schmerzten nicht mehr
und die Stille war
nicht länger so drückend …
Jemand flüstert mir zu.
Das Leben vor meiner Geburt
sitzt auf einer Apfelblüte
und flötet so süß.
Ein Teich mit Lotosblüten
füllt meine Seele.

Heraushalten

Hart mußt Du sein,
denkst Du,
nur kein weicher Kern
hinter der rauhen Schale!
Mitleid, Versöhnungswille
gleich mit der Wurzel ausgerissen,
die Wunde
mit der Lektüre
von Zeitungen
verschorft.
Sollen andere hinter dem Schweif verrückt gewordener
Kometen herstolpern,
sollen doch andere Sternschnuppen fangen,
nach Sterntalern Ausschau halten.
Sollen sie doch ...
Du hältst Dich da raus.
Machst, vernünftig, längst nicht mehr mit,
bist doch nicht bescheuert,
Du spinnst doch nicht.

Nur Deinen Hund kannst Du
ohne Skrupel zu haben verwöhnen.
Er wedelt mit dem Schwanz.
Jault nur und redet
bestimmt nie zurück.
Platz!

Annette Dorothee Ody

In die Ecke mit den Jahren

In die Ecke mit den Jahren
und dem Leben nicht getraut
wahres Fühlen, – heiße Waren
nur auf Lug und Trug gebaut

Öde Leere im Gehäuse
nebenbei geküßt, – geliebt
letztlich zählen nur noch Mäuse
fein nach dem Gewicht gesiebt

Die Gardinen vor den Augen
zittern im Paradeschritt
Menschen sollen etwas taugen
alle – müssen schleppend mit

Wenn sich auch die Erde teilet
größer wird sie dadurch nicht
nur die Zeit, – sie eilet, eilet
vergeblich sucht den Geist das Licht

In der Stille

In der Stille der Bastille
abendfriedlich in dem Haus
komm zur Ruh, unsteter Wille
lösch das Licht, die Kerzen aus.
Deine Hände tasten, schweigen,
blütenlesend über Haut
wesenseigne Schatten neigen, schirmen
und es fällt kein Laut.
Draußen vor den hohen Zinnen
breitet ein Baum den Fittich vor
schwebend wirbelt unser Sinnen, schwankt
am See im Wind ein Rohr.
Lautlos gleiten unsre Schwingen
durch die Mauern jeder Zeit
in uns ist ein helles Singen und
du gehst zu weit, zu weit.
Deine blauen Augenblicke
hüllen mich betäubend ein, schlingend
bin ich eine Wicke und
du roter, wilder Wein.
Durch das Fenster im Gemäuer
fällt ein Lichtstrahl durch den Raum
Stille ist so ungeheuer und
wir traun' uns, traun' uns kaum –
und ich bleibe köstlich leise und
du üppig strotzend satt
flüsterst du in deiner Weise meine
Locken wieder glatt.
Regungslos lauschen zwei Falken
in der Burg auf dem Gestein
du und ich
wir beide halten uns die Hand im Kerzenschein.
In der Stille der Bastille
fernab vom Geschrei der Zeit
kommt zur Ruh, unsteter Wille,
ach, wir lieben uns zu zweit.

[illegible] Lamp

Umsonst?

Es steigt kein Glück aus stumpfen Tiefen:
denn niemals silbert hell ein Wasserband,
wo karg der Fels wächst zu Massiven.

Ich bin nur Stein. So rührte Gottes Hand –
da sich die Quellen längst verliefen –
umsonst an meinen harten Außenrand.

Blumenschicksal

Ich schwimme wie ein buntes Blütenblatt
auf meines Lebens unbekanntem Strom:
hier glänzt es auf, dort wirbelt's hin –
nutzlos vergehend, winziges Atom …

Hier strahlt die Liebe stolz und ungetrübt,
dort schenkt sie fort in allzu kühnem Mut.
Wo ist der Sinn? Was treibt mich um?
Und wann erlischt mein Blühen in der Flut?

Dichter

Die Nacht steigt auf aus purpurnen Gefilden
und neigt sich schwesterlich dem Tod.
Ihr Lächeln senkt sich wie ein schweres Lot
ins Warten solcher, die Figuren bilden

aus Duft und Schluchzen und aus Roggenkeimen,
aus Stimmen, die im Schlaf gelacht,
aus Nebel, den sich Krankheitsgram erdacht. –
Denn alles fassen sie zu dunklen Reimen

und sind so voll davon, wie reife Birnen
voll Süße sind. Und träumen viel:
Doch glaubt man dumpf und schwächlich ihr Profil,
füllt Licht den Eisenreif auf ihren Stirnen.

Olga L. Lemerz
Träume

Sehnsüchtiges Schweigen
in mondhellen Nächten
läßt dich gleiten
aus erdschweren Banden
in ein zärtliches Nichts.

Hoffnung

Feuer und Rauch
umgaben die Toten,
die einsam starben
für ein Stück Erde,
die sie Heimat nannten.
Und zwischen all dem Kriegslärm
hörte man ein Kind weinen –
leise –
mit der Hoffnung im Herzen,
den Tod zu überlisten.

Vergessen

Ich habe vergessen
von Rosen zu träumen;
Ich habe vergessen
deine Lippen zu kosen;
Ich habe vergessen
von Herzen zu lachen;
Ich habe vergessen
die Liebe zu leben;
Ich habe vergessen
an Menschen zu glauben.

Verena Lang

Sprache

Worte, Worte,
zu viel der Worte
dahingesagt,
auch wenn es nichts zu sagen gab.
Oft bereut, unbedachte Worte
gesagt zu haben
Genug der Worte!
Jeder spricht und keiner hört,
denn keiner schweigt.
Nichts gehört, viel gefragt,
Worte
so dahin gesagt. –

Am Rande

Ohne Weg und ohne Ziel
nur noch schweigend

am Rande der Straßen
vor weiß-getünchten,
sauberen
Fassaden stehend,

stumm und schweigend
sich nur ungern zeigend –

Menschen
ohne Glücksgefühl

werden gerne übersehen
im vorübergehen.

Rasch vorbei
mit prallen Plastiktüten,
an starren Augen
so stumm und leidend. –

Heide Strauß-Asendorf

Vorfrühling

Eiskristalle zersprangen
im Licht.
Anderes
war da
und zeugte Leben.

Hoffnung
setzte sich
in die Hirne.

Die Vorsicht
zerstob
mit dem letzten Schnee.

Flirrendes Licht
täuschte den Tod.

Altertümer

Ein schiefes Haus
mit schiefen Wänden,
und in den Wänden
ein Gesang.
Es steht das Haus
mit schiefen Wänden
schon über tausend
Jahre lang.

Ein krummer Baum
mit krummen Ästen,
und in den Ästen ein Gesang.
Es steht der Baum
mit krummen Ästen
schon über tausend
Jahre lang.

Gebeugt ein Mensch,
nickender Kopf,
und in dem Kopf
welch ein Gesang!
Entflammt mit Liedern
und Geschichten
die Welt noch tausend
Jahre lang.

Golfkrise

Sie stampfen schon wieder
mit Halali –
– entfernt,
doch nah genug –
und schleudern Flugzeuge,
gefüllt mit Raketen,
in die Luft,
und Panzer
stäuben durch die Wüsten,
und große Schiffe
wälzen ihre tödlichen Kadaver
durch die Meere:
„Hier sind wir!“ –
Und alle schreien mit.
Blut für Öl,
sechzig Pfennig der Liter,
wird verhökert
im heißen Basar.

Ulrich [illegible]

Dein Ursprung

Du bist deinem Ursprung
ausgesetzt,
ob kleiner Mensch,
ob Genie;
denn auch der Ruhm
wird Asche und Staub
wie Fliegengebein.

Vertrau deinem Ursprung
im höchsten Geist,
leidender Mensch,
oft schuldgequält.
Siehe: dein Gott
scheut nicht den Staub,
wird ein Kind,
wird ein Mann:
der Prophet der Liebe, –
wird verspottet,
gemordet –
und lebt!

Tutanchamun und der Herr

Jüngling,
der aus goldenem Sarg
erstand,
wenn auch dein Sterbliches
in Blinden blieb.
Sohn des Erahners,
der die Sonne,
Aton, anbetete
als seinen einen Herrn.

Aus erblühendem Lotos der Morgenfrühe
wächst
dein erwartendes Knabengesicht.
Hast du den einen Herrn erkannt
im Reiche des Todes?

Der die Binden
zurückließ,
kam mit durchbohrten Füßen.
Die Sohlen deiner Schuhe
trugen Bilder deiner
Feinde, sie immerdar
zu zertreten.

Du aber, Jüngling,
ein Geliebter
im Schilde der Morgensonne –
hat Er dich angenommen?

Martin Kupfer
Nachruf für Erika

Ich schenke Dir
eine Arnikablüte.
Am Mühlenbach
war sie einst aufgeblüht,
beim Wiesenpfad
nahe der Mauer.
Nichts ist von Dauer.
Auch die Forelle nicht,
die im Schatten der Esche
bachaufwärts stand.
Der Sommer im Tal war grün
und voll Licht
und Dein Herz
voll geduldiger Güte.
Manchmal wäre ich
gern noch ein Kind
und bei Dir
im rötlichen Sandsteinhaus,
wo sich der waldfrische Duft
brauner Pilze
mit dem des Reisigfeuers
im Herde verband.
Aber die Zeit,
uns flüchtig verliehen,
verging.
Und die Kindheit enteilte,
wie die Wellen
im Bach,
wo ich so gerne verweilte,
und mit
zurechtgebogener Nadel
Forellen
und mit den Händen
unter den Steinen
die flinken
schwarzgrünen
Krebse fing.

Deine Rosen
wollen noch immer im Garten
mit flammender Farbe
und Duft betören,
umrandet von Buchs
im geharkten Beet.
Und Marienkäfer warten
wie damals
im zartgefiederten Kraut
junger Möhren,
wie Du sie vor lange
vergangenen Sommern
sorgsam zwischen die
Zwiebelreihe gesät.
Die Dahlien blühen noch nicht,
aber blaßblau der Augentrost
in den Mauerfugen am Bach.
Ich steh' am Geländer und träume
und blicke der Bachstelze
unter der Steinbrücke nach.

Wilma [illegible]

Schuld

Tausend Jahre Schuld
stehen auf in der Nacht.
Erde und Blut
an unseren Händen,
tausendmal weggespült
durch Tränen oder Wein,
kleben unvermutet
neu:

Trommeln
wirbeln dumpfe Schläge.
Sklavenrücken,
schwarze oder braune,
peitschen Ströme von Qual,
berstend an unseren Ohren.

Aber die Nacht
deckt ihren samtenen Mantel
aus Träumen
und Lügen darüber.

Zukunft Angst Zukunft

Ich sehe meine Kinder in der Nacht
losgerissen von meinem Herzen
wie immer Kinder
von ihren Müttern

Doch die Einsamkeit
in die sie stürzen
ist grenzenlos
und das Ungewisse
das sie empfängt
ist ganz gewiß:

ist Finsternis
und lodernder Brand
aus geborstenen Tiefen.

Ich möchte schreien
aber die Nacht ist so tief
ich stürze hinein
wie sie in das Brennen
bald oder später

Nichts ist als die Flammen
um jeden allein ...

Doch mitten im Rasen
und Prasseln und Toben
aufwirbelnder Urgewalt
des Allzerstörers –
mitten im Grauen
im Sinken Erlöschen
unnennbares Schauen:

Heute und Morgen
und ewige Zeit
tödliche Einsamkeit
alles umspannt
alles birgt schweigend die EINE Hand
unendlicher Liebe

Thea Kaarow-Himmelreich

Unverstanden

Ich wollte Dir
gestern noch
Hütten bauen –

Wollte Dich
gestern noch
über den Fluß tragen –

Wollte den Krug,
von Tränen in Stücken
heilen und mit Blumen schmücken –

Doch ich entfloh
den geträumten Hütten
erreichte das andere Ufer allein –

ließ den Krug
in Scherben
und die Blumen verderben –

Treffen Worte
wie ein Stein,
kann Ungesagtes tödlich sein –

Sylvester

Verstummter Mund
und ringsherum Gespräche –
vertraute Bilder
von Innen verwandelt –
Gedanke in Lichtspur
empfundener Schmerzen
klingt nach in Trauer
die immer besteht –
Gedanke in Lichtspur
empfundener Freuden
erweckt nur Heimweh
das nie vergeht –
Gefangen im Sein
von gestern und morgen,
dankbar und
zaghaft zugleich –
glauben dem Wort:
„Es werde
ein neuer Himmel
und eine neue Erde“ –

Christine Gebeb

Umsehen

Hast du dich schon einmal umgesehen,
wie herrlich diese Welt ist?

Hast du dich schon einmal umgesehen,
was wir daraus gemacht haben?

In der Hoffnung

Dein Spiegel,
zeigt nicht immer das Bild,
welches du von dir sehen möchtest,
trotzdem blickst du hinein,
in der Hoffnung,
es könnte sich ändern.

Verstecken

Dein Gesicht,
hinter einer Maske verstecken,
nicht zeigen,
wer du wirklich bist,
mit einem anderen Gesicht
ein neuer Mensch sein.

[illegible]

Sprachlos

Ich fuhr zu Dir
im Schneckentempozug,
trug meine Angst
im Herzenstränenkrug –

ich hatt so viel
zu sagen!

Doch Dein Gesicht
aus Marmormeißelstein,
Dein Gletscheraug',
Dein Wörtertotenschein

sie ließen mich
verzagen!

So schweigt mein Mund
im Sinnentowerhaus,
hält maulkorbgleich
Dein Marmorauge aus –

und möchte
immer klagen!

Du und ich

Heute Nacht
umarmten wir,

als er uns sein
Silber schenkte,
als es auf dem
Wasser glänzte,

Du und ich
den Mond.

Wiesenkerbel, Ehrenpreis
duftet fort in
unsren Träumen,
alles hat der
Mond erleuchtet –
ich sah deine
Zärtlichkeit,
Deine lieben
Augen glänzen –

Kleeblattblüte, Hahnenfuß
schwangen Zauber
in die Winde –

Bis der Mond
mit letztem Seufzer
unsre Liebe
zärtlich weckte
und wir schwiegen –

Du und ich

Helga [illegible]

frühling

wir durchschreiten den frühling
auf den bäumen
blüht die hoffnung
in den ackerfurchen
keimt das glück

über uns ergießt sich gleißendes licht
unsere körper
streben der wärme entgegen
aus der seele
ist der winter gewichen

noch hat die sonne keine sengende kraft
wir stehen ungeschützt
bereit

eine goldene brücke

unsere gedanken bilden
eine goldene brücke
über das trennende

schwingungen verbinden
glückselige ahnungen
wir schwelgen in vorfreude

gaukelt das schicksal

meine seele prophezeit

erfüllung

kundenberatung

frühstücksloser tagesbeginn
nach schlafloser nacht
mit schwarzgeränderten augen
schreibtischbesetzung

kaltschweißausbrüche
bei jedem telefonläuten
marionettenhaft gutes
betriebsklima

in modern betonierter grünpflanzenhalle
charmante kundenberatung
trotz wachsweicher knie
aufrechter gang

computer starrt löcher
in schrumpfgehirne
management sucht psychiater
für valiumgezeichnetes mitarbeiterteam

Lieslotte Fißlake

Menschen

Bild eines Gottesmannes

ein Antlitz
wie eine große Landschaft
gewachsene Höhen im Licht
fruchtbare Felder zur Erntezeit
reiche Quellen
aus der Tiefe Heilwasser spendend

Bild eines Diktators

ein Gesicht
wie ein Lavafeld
felsige Gipfel im Nebel
tiefe Gräben mit Asche bedeckt
in der Glut der Düsternis
an der Vorsehung gescheitert

Bild eines neugeborenen Kindes

ein Pastell
wie ein liebliches Fleckchen Erde
noch ohne Spuren im Sand
stille Seen
im Morgenrot lächelnd
in der Erinnerung an die Geborgenheit

Über die grüne Grenze

Verkleidet in weißen Kutten
zelebrieren
forschende Jünger der Wissenschaft
des Schöpfers Ruhetag
auf eigene Art –
pflanzen in geheiligtem Boden
manipulierte
Bausteine des Lebens

geduldig die Erde
ernährt und läßt wachsen
Sonne Regen und Wind
tun ihre Pflicht

aus der Frucht
starrt verfremdetes Gesicht
spuckt Samen aus
vielleicht keimt daraus Gift?

Margot Ehrich

Hälse

Flüstersilben
angekettet
abgestürzte Schreie
würgen Kröpfe
schnüren unter
Perlen Hälse –

klemmen sicher
zwischen Blut und
Steinen vor
erloschnem
Funkgerät

welche Farbe
hat ihr Ziel
ist die Freiheit
unsichtbar
über dieser Welt

nesselsucht

heut überrennen die
nesseln die scholle
flüchte ins haus
lösch das licht

hülfe kein lächeln
die gleichung ist fällig
neid heißt der geiz
im kostüm der verliebten
verwandten der nesseln
die großen der kleinen
der frommen die brennen und
ausschlag erzeugen und
hiebend und ländefaltend
augen wimmelhärts
in stitze spiche
gifte gießen

Ulrich Bauer-Stäb
zuweilen

am horizont kein land in sicht; nur
klippen, scharfe riffe hinter mir:
unaufhörlich wunden schneidend
in meinen vernarbten geist.

entschlossen anschwimmend gegen
die brecher mitmenschlicher kälte,
fortwährend das salzige naß schluckend
– ob es tränen der traurigkeit sind?

zuweilen ertappe ich mich,
wie ich unter den wellen
durchtauche.

ein spiel . ?

wieder waren wir wütend.
riefen ruhelos ratternde reime,
die diese deppen diktierten.

wir diese deppen waren.
riefen wütend wieder reime,
die ruhelos ratternde diktierten.

diktierten wütend wir deppen
wieder ratternde reime, waren
ruhelos, die diese riefen.

die diese deppen diktierten,
riefen ruhelos ratternde reime.
wieder waren wir wütend.

Mario Billia

Die Regenbogenfarben schlummern

Die Regenbogenfarben schlummern,
fing Dornenmeer, erb gelben Schaum.
Beim blechern, fremden Roggen Saum
Galeerenbogen, find, erb Schummern.

Begrüne schon den Grabenflimmer,
den Mauern Breschen, Golfberg mein,
brenn Gaumen, fold dem Erbe, Schrein;
braun Neger, Felgenboden Schimmer.

Doch fern, brenn Seel', nimm Egge, raub,
leg Robben Gemmen, Finderrauschen
der Glimmer Bergfee, Nonne schnaub.

Meng' Femen: Rinder grob belauschen.
Bin fern dem Groschenmeer, eng Laub,
elf Morgen bringen dem Berauschen.

Die Sonnenuhr erlischt im Nebel

Die Sonnenuhr erlischt im Nebel;
die Reime sonnen sich, lern, buhl
in schöner Dirnen liebem Stuhl.
Senil rot reimend Inn, such Hebel.

Nicht Lebensodem hin, nur leiser,
hol lichter Münder Binsensein,
nur leerem Dichten bloss: hinein,
ob nicht reellem Sinn und heiser.

Humor in Seelenbildern sichten.
Besonnt neun Hirsche, eil' er mild,
um heillos derbe Sinne richten.

Homers Erleuchten, sinn ein Bild:
In Russenbohlen Leim erdichten,
hol Seiten, reime Brunnenschild.

Elisabeth Schmid (ba)

Aussteigen

über die wolken spazieren
menschen von außen betrachtend

geschichte friert nicht
worte erröten nicht

das herz halten
die am gehirn zerrenden worte

geschichte friert nicht
worte erröten nicht

angst bekommt es mit gleichmut
zutun – langsam

geschichte gefriert
sätze erröten

masse ist das problem
ich beschließe

daß ich sie liebe

das faltengebirge

gedanken getürmt,
durchfurcht von rinnsalen
der schicksale wort.
herrliches verblühen,
in sich verdünnender luft
umdrehender welt.
langsam, wie ziehende kamele,
zerreißt der faden über dem kreuz.

9 november

grenzenlos überwältigt,
eigenwillig ausgestoßen,
mittellos verlagert –
freigestellt.
besorgt gekoppelt,
interessant fusioniert,
verlegen ausgelöscht –
vergangen.
gefallene gesichter
verschlissen interessant,
ohne zeit
zwischen den verbindungen –
schwankend.

Margarete [illegible]

Ungeduld

Stunde
des Zufalls,
wann bist Du mein?

Wann
wird
mein Sein
mich
in Dir
entfalten
und
neues Gestalten
bewirken
in mir?

Diese und jene
Rückkehr
von Kühle
in mein Gewand
tut mir gut.
Ich blute.
Mit kühnem Mute
jedoch
dieses Lösen
im heißen Sand
der Gefühle:
Gegenstand meiner Ungeduld.

Der Stern

Und droben war ein Stern
mit warmem Atem, verzweifelt fern
jedoch von mir und so allein;
weil anders er sich stellte
im Gestirn, Gestein,
sich niemand zugesellte.

Der Stern,
er wies mit seinem blauen Klang
– saphirengleich – voll Überschwang
auf sich
und zwang so mich
in innigem Zusammenhang
zu meines Wesens Kern.

Jutta Miller-Waldner

melancholie

meine träume sind
welke blätter im
fieberheißen sommerwind

und mein herz ist ein
zitternder schatten
im bleichen lächeln des mondes

lockend tönt das lied
einer nachtigall
aus unerreichbarer ferne

trauer

die erde hat das träumen verlernt
menschen und tiere und bäume schweigen
die sterne tanzen ihre reigen
und niemand mehr schlägt den takt dazu.

die himmel haben das lachen verlernt
steine und berge und flüsse weinen
die sonne wird ewig weiterscheinen
doch niemand mehr versteht ihren glanz.

die menschen haben das lieben verlernt
und die nachtigallen verstummen
tausend vögel leise summen
und niemand mehr vernimmt den gesang

Cornelia Geißler
Südungarn Impressionen

I

Akazienblättrig die Tage.
Erwachen sonnenbefingert,
den Blick auf das Leuchten goldwogender Meere,
millionenköpfig den Lauf der Sonne verfolgend,
umspielend sanftsteigende Hügel mit Rebstöcken.
Die langbeinigen Bewohner der Dächer begrüßend
leg ich ins Fenster ein neues Stück Zucker.

II

Aus summender Schwüle,
mit Gesten, den unsern so fremd,
geleitet in steinerne Kühle,
zu kosten den Wein
verkniffenen Mundes.

III

Nach rotscharfem Fleisch
Knoblauchkuß und Kuchen.
Das Schluchzen der Geigen ruft Zeiten,
die besser klingen
im Munde der Alten.

IV

Schattige Insel im Stadtgetöse.
Frauen, betend,
mit Einkaufstaschen.
Unter Marias Madonnengesicht
Tafeln des Danks.
Touristen blitzen
die Stille entzwei.

V

Der Grillen Abendkonzert,
jahrhundertealt
überm Maisfeld.
Darin wir uns zu lauschen betten,
den Tag liebend
zu entlassen.

Helga Beurer

Dämmerung in der Großstadt

Lichter stimmen sich ein
zu melodischem Blinken
eine klangvolle Hell-Dunkel-Symphonie
überzieht das Nachtgewölbe
überdröhnt die Flimmerlaternen
der Baukrahninsekten
opaleszierende Leuchtkäfer antworten

Lichtschweife treffen auf Gleitlichter
zu trautem Flüstern
unbeeindruckt von Paukenschlägen
einbrechender Neonblitze

Der Laternen bescheidenes Glimmen
hebt sich wohltönend ab
Verschwiegen senken sie ihren Schein
wenn Gestalten einherschlendern
den Lichtkanälen folgend
im Nachtschwarz sich auflösen
Ihr Schicksal vollzieht sich
im Dunstkreis
geheimnisvoller Leuchtoktaven

Schwarzwald

Der Tannenwald
reckt sich im Wildwuchs
atmet feuchte Frische
Neben Brennesseln
behaupten sich Dotterblumen
Widerhall von Holzschlag
Stapelhölzer hauchen Tannenduft
noch grünt es bis zur Spitze
Waldwege kriechen in Serpentinen
aufwärts
Wirft die Mondscheibe
ihr silbernes Licht über Gipfel
entsteigen den Schonungen
Märchenbilder

Rotkäppchen im Wald verirrt
einmal suchte es
hoffnungslos lange
nach dem Weg
Wo war der Wolf zum Fuchs geworden
der in jenen Hungerjahren
Hühner riß
Sieben gute Geister
Schneewittchens
trugen die verletzte Seele
durch die Zeit

Trotz Aussetzung
ins Niemandsland
spürte es
irgendwo her kam Liebe
Als Schneewittchens Dämmerschlaf
endete
rangten hohe Dornenhecken ringsum

Käthe Wille
Älterwerden

Gegen den Schmerz anleben –
sich dem Vorhandenem einbringen –
nicht mehr Erreichbares loslassen –
an der Gnade festhalten:
Herr, dein Wille geschehe!

Schmerzen
sind Bleigewichte
an meinen Füßen –
gestutzte Flügel
meiner Seele –
Durchkreuzung meiner
vorgeplanten Stunden –
Bewahren sie mich
vielleicht davor
zu nahe der Sonne
versengt zu werden?

Seufzer

Herr,
stille den Sturm in mir
der mich hinabzuziehen droht
in den schäumenden Strudel
aufwallender Empfindungen –
richte mich auf
mit Stecken und Stab
deiner licht-verheißenden Zusage –
laß mich erneut
vom Morgenrot
deines unendlichen Friedens
trinken.

Hilja Siegel

an eine freundin

in grenzübergängen und
stets gegen den strom
mein boot im anker am rande
der sturmknotenpunkte

wie wir vereinbart
ich traue nicht mehr deiner stimme
deinem schritt glaube nicht daß du
barfuß über das wasser kommst
wenn ich im schilf lande wo dein
tragisches wort wie nasser sand
in den nilschlamm sickert
du willst nur deinen eigenen ruhm
verewigen

schau heimwärts SPHINX mit zerstörtem antlitz
ich war in deinem tempel in DEIR EL-BAHARI
seitdem trage ich mein herz wie einen
brüchigen stein

Alle Dinge sind Abziehbilder

das Fensterkreuz
und die Schatten der Blumen an Wänden.
Ferner Straßenlärm rauscht wie die Nacht.

Zigarettenrauch
verstreut sich im Wind
gleich dem Gefühl einer flüchtigen Zuneigung.

Alle Dinge sind Abziehbilder
vom Negativfilm
mal unter-, mal überbelichtet nach dem Zufall
oder der Laune des Augenblicks.

Franz A. Kutscher
Frankfurt

Die Sonne, die niemand sah,
kehrt zur Mutter Erde zurück.
Einsamkeit zieht
durch Betonschluchten.
Das Todesband des Mains
hüllt sich in Trauerfarben.
Wieder beginnt eine Nacht
und Frankfurt stirbt.

Umarmung

Mein Schatten
umarmte mich:
Bist du meine Heimat?
Ja, sagte ich,
und legte ihn
behutsam zusammen.

Vergittert

Ich blickte
aus dem Fenster
meiner Zelle.
Und ich sah
Menschen hinter Gittern.

Kannibalismus

Im Inneren Neu Guineas
leben noch heute
Kannibalen.
Darum können wir
auf die Wehrpflicht
nicht verzichten.

Menschlich

„Hallo, Kollege!“,
grüßte der Computer.
Dieses Ungeheuer
wollte sich
einschmeicheln.

Christine Ebert

Hoffnung

Wenn Du sagst
daß diese Welt ohne Hoffnung ist
dann bist Du ohne Hoffnung
denn
welche Welt sonst
sollte Dir Hoffnung sein

Abschiede auf Bahnhöfen
sind out

Wo gestern noch das Stofftuch
mit Tränen
mit auf die Reise ging
flattert heute
achtlos
das Papiertuch im Wind
Davon
Wo gestern noch
Hände
sich nicht trennen wollten
verabschiedet uns
ein lässiges Winken
in alle Richtungen
Unterwegs

Wo gestern das Du
ins Reisegepäck schlüpfte
kein Blick zurück
Aufwärts
führen die Gleise
stark und ungebunden
Jeder für sich
in sich selbst

Die vertraute Stimme
unter uns
das Stampfen der Räder
die Wurzeln
zwischen blankem Schotter
wegfegen

Und unser Verbündeter
der Fahrtwind
bläst den Gedanken weg
wozu wir
Uns wohl selbst brauchen

kupferpfannengrün im regen
broadwaynotenklimpernd
zu beschwingten schritten
springt der kirchturm
über die dächer
an diesem grauen morgen

wir gehen die straße hoch
die theaterstraße der geschäftsleute
das läßt uns lächeln
keine auslage
grenzt unsere träume ein

türkisgrüner farbstreifen
wie ein junger alligatorenkörper
am grauen januarhimmel
von schnee keine spur
nichts zu riechen
träume und pläne
wie seit jahren
nehmen im auto platz
verschoben
auch wenn kinderstimmen
bettelnd in der straße singen
münzenklimpernd
bleibt der winter fern

sonnenschein buntstiftzeichnung
rapsfeldgelber aprilsonntag
in der ferne die kirchtürme
das alte gaswerk hochhäuser
weite sehen landschaft & himmel
segelflieger vor wolken
jogger den gewundenen weg ablaufend
ein angenehmer tag
keiner will was von dir
hoffentlich entdeckt das niemand

Heinz Steinicke

Konzert

Nur eine Kerze bin ich -
und ich brenne schwach,
doch schmilzt das Wachs –
und ich verzehre mich;

Ich bin nicht Geige,
bin nicht Bogen
und auch Saite nicht:
ich bin ein Bogenstrich –

der letzte Ton,
der im Konzert erklingt:
ganz leise nur,
doch klinge ich!

Schlingen und Girlanden

Im eigenen Seelengrund
hat das Vergangene
sich angesammelt,
um im Traum zu sein:
Erinnerung auch
an Überschwang;

oft tauche ich hinab,
um aus dem Paradies
des Nichts
Versunkenes mir
heraufzuholen;

doch alle Dinge,
die ich in der Tiefe
mit den Händen greife,
entschwinden
meinem Blick
und werden Tanz
im breiten Fluß
und kleines Schiff,
das ohne Land
nach hoffnugnsloser Fahrt
gestrandet;

verlieren muß ich mich
in den verworrenen Bildern
aus Gerümpel, Rost und Schrott,
und mit der Schlinge
fange ich den Traum,
um ihn heraufzuziehen
an den Tag;

und manchmal bringe ich
ein Lächeln mit herauf
in meine Wirklichkeit,
die voller Scherben ist,
in deren irren Glanz
die Wörter sich
wie Blumen ranken
und zu Girlanden werden
zwischen all' dem Staub,
der aufgewirbelt ist
im grellen Licht
der Neonlampen,
die mit Hohngelächter
meinen Alptraum
in das Zwiegespräch
von Denken
und Vergessen zwingen;

und alle Sätze,
die sich sage,
treiben
zwischen Dschungel
und dem Traumland
meiner Gärten
hin zu einem Ort,
wo keine Fenster sind.

Rainer Luce

Maximen I
betreffend das Schreiben von Gedichten

Gedichte
wie Rauchfleisch

Nur abgehangene
Ware erfreut

Gesalzen
geräuchert

lufttrocknend am besten
fürs erste vergessen

Wiederfindend, sie
mit fremder Zunge probiert

weichlich Fettes entfernt
nochmals gesalzen

und dünn geschnitten
über die Theke

Fotografie

Gehalten der Blick
eingefriedet das Sehen
Die Rituale des Alltags
millionenfach farbig bestätigt
Bewusstlosigkeit fixiert

Und die gekonnte
Flucht
Idyllen jeder Coleur
Form- und Farbenräusche
perfekt zelebriert

Nur manchmal
die Verschärfung des Blicks
die Schneise
Konzentration und Verdichtung
Der Wirklichkeit plötzlich
ins Auge sehend –
manchmal
ein Schmerz

Zeichen

Schmale Sichel des Monds
geneigt
über die Nacht

Schön bist du
und nicht allein
bei dir selbst

Du verweist
auf die wachsende
Fülle deiner Gestalt

Mehr geahnt als zu sehen
der gebogene Saum von Licht
der jetzt schon die Rundung vollendet

Du beweist die Wahrheit
der Sonne während sie tief
im Weltenraum unten noch rollt

Kühler Spiegel bist du
kommender Wärme
Zeichen
im zart erst gelichteten Dunkel

Ellen Beil Schwester

Einklang

In wenigen Stunden
der schweigsamen Zeit
ist Einsamkeit
durchgestrichen im Buch
meiner Tage.

Dann weht ein Wind
Blütenstaub der Haselnuß
über mein Haar
und ich gleiche dem Bruder
meiner Träume.

Gedanken im Nebel

Weitblick vergittert
getrübt vom Nebel.
Vorausblick
gnädig verhüllt.

Was wäre ein Leben
ohne Geheimnis?
Was Dunkelheit
ohne Hoffnung auf Licht?

Zeit der Erwartung
mondelang
bis zur Geburt
des neuen Lebens.

[illegible]

Dein Wort
(Für Hilde Domin)

Du hast Dein Wort
auf Reisen geschickt,
im Fremdland
heimisch zu werden,
Brüder zu finden
im ungewohnten
Klang den Einklang

– nicht den Schrei,
nicht das Sprachlos,
das liegt hinter ihm,
das nahmen die Toten mit,
um zu sprechen –

Die Reise des Worts,
das Endlos der Kürze,
sein Ab-Fall, sein Hin-Fall,
sein Zu-Fall,
der Kornflug im Wind
voll Richtung,

glaube an den Flug,
den Flug Deines Wortes,
das Du auf Reisen geschickt,
an sein Dir unbekanntes
notwendiges Ziel.

Um der Verkündigung willen

Ihr Himmel, entrückt.
Die Stachel reißen ins Fleisch.

Halte die Hand auf
um der Verkündigung willen,
so Du der Stätte entkommst.

Die Raben begleiten
den täglichen Weg,
den Tausende säumen
zum Fraß.

Die Kolben stoßen
ins wunde Fleisch,
ins torkelnde, lang schon
entseelt.

Wieso dieses Leinen,
die freundliche Hand
im Traum zwischen Fliehen
und Tod?

Ihr Himmel, erwacht.
Die Fluten ergießt auf den Brand.

Hebe die Hand auf
um der Verkündigung willen.
Er hat die Menschen geliebt.

[illegible]

Was mich nicht läßt

Ganz plötzlich war es da –
wann fing es an?
Ich weiß es nicht –
doch weiß ich,
wie es war:
Es schien so wunderbar
der Hauch von Zärtlichkeit
wie Dunkelheit und Licht –
ein Zittern –
ein: Ich liebe dich,
und Tränen wie ein Sommerregen –
sonst – nichts –

das ist in mir und lebt
und läßt mich nicht.

Im Herbst

In Stille
vor der Tür sitzen,
ausruhn
von der Mühsal des Gehens,
die Tür erreichbar,
doch nicht anklopfen –

alle Geräusche erkennen –
keines verursachen –
das Fließen des Lebens
neu erhören:
Im Haus, auf den Wegen,
im Herzschlag des Tieres,
im lauten Ton der Maschinen.

Stimmen deuten
von Luft und Wasser,
Seufzer des Menschen,
Bögen fallender Sterne,
Wärme aus Erde und Stein.

Manchmal
spürst du Licht neben dir,
manchmal
umfängt dich Schatten –
treue Begleiter –

Langsam bleichen die Farben des Lebens,
Bis Schnee auf deinem Haupte nistet –

behutsam
entläßt dein Schweigen
letztes, liebendes Wort …

Komm –
komm
in meine Umarmung
mit
all deinen Tränen.

wenn
dein Herz
ruhig wird
in meiner Zärtlichkeit,

tauschen
wir die Plätze …

Marianne Kawohl

Liebe ist ewig

Liebe ist nicht nur stark wie der Tod
Liebe ist stärker als der Tod
Denn kein Tod
Und keine tödliche Verletzung
Können die Liebe vernichten

Liebe ist ewig

Kein Ersatz

Manchen Menschen dient der Partner
als Ersatz für Gott
Manchen Menschen dient Gott
als Ersatz für den Partner

Weder ein Partner noch Gott sind Ersatz

Nicht: entweder Gott oder ein Partner
Sondern: sowohl Gott als auch ein Partner
Nicht Ersatz
Sondern Gott wie auch ein Partner
Als Einmaligkeit

Vielleicht so:
Gott im Partner
Der Partner in Gott
Gott durch den Partner
Der Partner durch Gott

Beide für mich
Ich für beide

Zirkulation

Du
Es gibt nur noch eine Welt
Du
Die für mich zählt
Du
Die mich hält
Deine Zuneigung
Die nie zur Neige geht
Du
Das ist's, worum sich alles in mir dreht
Du
Wonach sich alles in mir sehnt
Du

Gertrud Abbenath
Sommerkorn

Glutverbrannter Sommertag
sinkt erschöpft
der Nacht entgegen.
Jedes Hälmchen
lechzt nach Tau.

Unentwegt ein Mückenschwarm
tanzt beschwingt
sein Auf und Nieder,
lebensfroh im
Abendlicht.

Regungslos der Wald verharrt.
Schatten stehn
versonnen lauschend,
wie das Heimchen
zirpt und geigt.

Übers Feld die Venus steigt.
Lichtgesäumt
des Himmels Pforte;
Tages Abschied
letzter Schein.

Prall gefüllt mit Sommerkorn,
schwer geneigt
stehn Halm und Ähre,
Frucht darbietend –
Brot und Saat.

Spät

Zaust der Sturm
dem Baum die Krone,
fliehen bald
die goldnen Blätter.
Maler hängt
den grauen Schleier
übers herbst –
liche Gemälde.

Wilder Schrei!
Die grauen Gänse
ziehn im Keil
dem Süden zu.
Kein begehrlich
Täubergurren
stört den Wald
in seiner Ruh.

Fällt das Licht
der Nacht zum Raube,
würgt der Frost
das späte Leben,
steigt geschützt
aus warmer Tiefe,
aller Liebe
letztes Geben.

Im Kreislauf

Halleluja! Tagerwachen,
Frühling, Wärme, Sonnenlicht,
neues Leben, Kinderlachen -
Tod und Winterstarre bricht.

Aus des Lebens reicher Fülle
Sommerfreuden mir erblühn.
In des Alters warmer Stille,
herbstliches Vorüberziehn.

Hingesunken, erdverbunden,
Lebensspuren untergehn;
Menschenherz, das heimgefunden,
Saatkorn vor dem Auferstehn.

Helga Colbert

Sehnsucht nach Schlaf

Reiche mir
eine Handvoll Schlaf,
denn
es atmet der Morgen
ich liege
wach im Strom
gepeitscht
von den Geiselruten
meiner Nerven.

Unablässig
jagen sich
die Gedanken
in den Gewölben
ihrer Kerkers
gleich hungrigen Ungeheuern
deren eines dem anderen
fletschend die Zähne zeigt.
Die es aussaugen wollen
das Leben.

Reiche mir
eine Handvoll Schlaf
der
den Toten gleicht,
damit die Losgelöstheit
von den Sinnen,
den bedürftigen,
ich auskoste
vollends
und mich wiege
in der Entspannung
eines süßen
Nicht-mehr-Erwartens.

Im Anfang …

Gott war
und
das Menschenantlitz
wurde klein
schmolz ins Getöse
und verlor sich
im Staub.

Nun irrt es
umher
sehnsuchtgeplagt
zerissen
Tage suchend,
die im
Verlorenen
geblüht.

Brigitta Goertz

Eilt euch

Zeit der Disteln und der Dornen
und der abgenagten Knochen
Hat der Todhengst seinen Auftritt
kommt der Schinder in die Wochen

Scharret längst ein helles Leibroß
Würzwisch am gestrafften Zügel
Feuersglut wie Samt im Sattel
Fuß und Sensblatt fest im Bügel

Wo sind eure blauen Blumen
Leute gebt den Kälbern Futter
Starrt zu Sternen lobt den Mondmann
sucht den Sonnen deren Mutter

Klein sind eure jüngsten Lämmer
Viel zu schwach das arme Fohlen
Wächst nicht Krankheitskraut am Felsen
Eilt euch Gärtner! Rennt es holen

9.11.89

Ein solches Staunen
geht über den Mond
ein Lachen
über die Sonne
über den Stern
die Wonne die Lieb

Ein Ballon
steigt empor ein
Gesang aus dem Leib
und die süßesten Tränen
die Tränen die süßen
springen ein Lied

Wurde
das Rufen gehört aus
dem Weinen geführt zur
Mauer das Wasser
gemacht und zu Wasser
die Mauer auf Schultern
die blühende Nacht

Ist denn dein
Wort nicht mehr fern
Kinderfreund
hast du uns gern und
den Tanz die kleinen
Trabanten den Tag und die
fliehende Fracht und die
Stunde des endlichen Aufgangs

Passion

Einmal im Jahr
ruhe ich ruhig
schlafend und satt
betrunken vom Wein
ich höre die Nachtigall nicht
Vom Strecken der Waffen
erwache ich und
vom Krähen des Hahns

Im weiteren
fährt mir der Dorn
in die empfindliche
Haut schwitze ich
Blut trägt
mich das Holz hänge
ich stumm in der
starren Wölbung der Nacht

Fortwährend
presse ich mein Gesicht
tief in die
blutige Wolle des
Lamms greif ins gekräuselte
Haar küsse das Fleisch beiße
mich zärtlich fest
am zerrissenen Ohr

Ich höre die Nachtigall doch
Das Entschweben des Steins
(drei zwei und eins –)
Durch den Felsen mit
göttlichem Schrei
aus dem Nullpunkt
gesprungen:
Das Licht

Joachim Grünhagen

Papiertag

Schneide ab den
Papiertag, in
Den Wind wirf ihn!

Aber lange siehst
Du das Papier
Fortfliegen,
Nimmst Abschied
Und wendest
Dich leise um.

Irgendwo im All
Wächst ein Staubkorn.

Ein Wort

Spanne den Bogen.
Lege den Pfeil an.
Schleife das Wort
Und prüfe den Wind.

Senke den Blick nicht,
Gib dem Wort seine
Flügel als Freiheit.

Schlägt auch das Herz
Im Nachhall des Bogens,
Dein Wort liegt gut,
Bleibt stecken und aufrecht,
Greift an und bewegt
Zuweilen auch Welten.

Senke den Blick nicht,
Auch wenn es zurückkommt.

Leg' hin den Bogen,
Und ernte die Antwort.

Sturmtage

Die Blätter reißen ab.
Hände, die nicht
Mehr festhalten können.

Die Windtänzer springen,
Wirbeln und ernten.

Zeit der Reißlaune,
Tobsucht der Stürme,
Worte werden zertreten,
Und die Zeit donnert
Gegen das Lachen.

Zerstörung und Schönheit,
Schöpfung als Trunkenbold
Einmal im Jahr mit der
Botschaft des Sterbens.
Du mußt leben.

Dein Atem
voll Herzwind!
Über die Hirnsümpfe hin
schwirren
Harpunen der Alchemie.

Augen,
prall gebetet
zerweinen
die Engelsgefieder
dieser barocken,
dieser großgesäugten
Pilgernacht.

Moränen voll Unschuld
umlagern,
vor entgoldeten Toren,
die vertränten Urnen
im sakralisierten
Gaukler-Labyrinth.

Unter Ginsterhimmeln
die Wunde „Leben";
immer narbend
vom Chimären,
vom Heiligen her.

Und ein Morgen
beginnt
zu tanzen
auf gewaschenen Dornen,
auf panischem Grund.

Rote Borke
(Sonnen-Schwüre voll frühen Lichts)
wir sind
dein pochender Specht.
Knospenhände,
werfen Eiterkronen
siderischen Lichts
in Opferschalen,
ins lehmige Nichts –

Gebetspeitschen
striemen
die Lichtstrünke
in dir.

Der endklosterte,
der fromme Arnikawind,
streut
Ahn-Potenzen
über dich hin –

Die Netzhaut,
die Grotten,
die Sterne,
der Glanz –

Das Unvergitterte
verharft
die ausgewinterte Stirn.

Peter Görner
einkehr

wenn die zeit der dämpfe aus den schächten
wieder zurück in feuchte warme finsternis
den blinden molchen die blauen hände halten

vorbei an rundäugigen mädchen die versuchen
nicht gehen lassen und doch nicht nehmen
tiefer hinab wärmer finsterer entfernter nun

gesänge die nicht stattfinden und nicht enden
lichter von den tentakeln des habichtvogels
jagdschreie von molchen mit gefiederten händen

tiefer hinab wärmer finsterer entfernter nun

gehversuche

beine spreizend den rechten fuß seitwärts
abgestemmt über zerscheuertem knöchel
die hand den stock den gummi anschlagend

an den rinnstein geknickt den linken arm
rudernd rechts die hand den stock pfeifend
aufschlagend auf den knien rutschend

die hände über platten schorfend den stock
brechend den gummi fest zerbeißend
aufrecht daliegend weitergehen laufend

widerstand

der angelieferte granitblock
wirft schatten nach allen seiten
über mich zurückkehrend ins licht

ich werde ihn bearbeiten bis nichts
zurückbleibt als eine polierte kugel
von der größe eines kleinen mondes

Norbert J. Mayer

Lied der Berserker

1.

Die Berserker sind angesagt!
Die Berserker, sie kommen!
Es weinet und es weheklagt,
Der Böse und die Frommen.

So nimm dein Kind und lauf davon,
Denn diese kennen kein Pardon,
Wollen 'rauf hin zu Wallhallen
Zechen mit den Göttern allen.

Der Preis ist diese unsre Welt
Die Erde, Schwestern, Brüder.
Darum zerstört er wie ein „Held",
Macht alle Menschen nieder.

2.

Die Berserker sind ausgerückt;
Sie kommen heut in Scharen
Verdreht, maskiert und halb verrückt;
Sind schlimmer als sie waren:

Der Pfaffe, der schon immer segnet,
Und wenn es auch Atommüll regnet.
Der Kanzler läßt das Meer vergiften,
Weil sonst Konzernherrn Unruh' stiften.

Der Preis ist diese unsre Welt,
Der Mensch, Natur, die Erde.
Wie eh und je: wer hat das Geld,
Ist Hirt, und wir Schafsherde.

3.
Die Berserker, sie sind bereit,
Die Wölfe in Eskorte,
Ob Mittelalter, neue Zeit,
Es bleibt dieselbe Sorte.

Nach uns die neue Sinteflut!
Das ist der alte Landsknechtsmut.
Das Große, das wir schon erzielt,
Wird militärisch ausgespielt.

Der Preis ist diese unsre Welt
Da gibt es kaum Gescheite;
Sind stolz in ihren Dienst gestellt:
Dem Overkill Geweihte.

4.
Die Berserker mit Riesenkraft
Die Berserker von heute,
Sie tranken vom Alraunensaft
Und wurden andre Leute.

Sie kamen wieder von da oben,
Doch diesmal nicht sich auszutoben.
Vielmehr ihre Kraft zu geben
Dieser Erde, und ihr Leben.

Der Preis ist diese unsre Welt
Mit Reinigung und Segen
So komm mit uns, sei wirklich HELD:
Erdschänder wegzufegen!

Die Berserker tun wieder mit,
Damit es ERDZEIT werde.
Sie bringen alle Götter mit
Und weih'n sich Mutter Erde!

Adelheid Ursa Mildenberger
Frühling

die Bäume spielen Braut
mit grünen Schleiern
keine Jahreszahl gilt
wenn ihre Jugend ans Licht drängt
aus dem väterlichen Holz

unermüdlich wie Kinder
blühen Ideen
nach welcher Musik

auf einmal stehen sie vor der Tür
helle Sträuße in allen Händen
zärtlich entschlossen

von Angst und Vorwurf frei
lächeln sie
tausendfach
dem Kommenden
entgegen

Sommerbäume

dieses selbstverständliche
grüne Blut der Landschaft
nach dem ungestümen Aufbruch des Frühlings
nun angekommen
in der eigenen Vision
und mit erwachsenen Blättern
tatkräftig
ruhend
in sich

ausschenken
(les adieux)

da löst sich
Blatt um Blatt
und geht den Weg
des Kirschblütenschnees
und wilder Beeren

und Töne perlen
aus unsichtbaren Himmeln
in den Lichtkreis der Harfe
leuchten auf unzählig
und verklingen

nicht verarmt der Stamm
nicht versiegt die sprudelnde Stille
mit jeder Geburt
eines herbstfarbenen Liedes
pulsiert
das große Herz

Elisabeth Schaffert

Ein Wunsch

Käm eine Fee
und schenkte mir
einen Wunsch –
ich nähme den Tag
so wie er ist

Warten auf Regen

Der Himmel
wolkenschwer
trägt welche Last,
die Erde
ausgedörrt
erbt
welche Schuld?

Wintertag

Wie mag es sein,
wenn der Wind sich legt,
der Himmel erklart
und die Sonne sich zeigt?
Ach, Wintertag,
kalt bleibt es doch!

Nocturne in fis-moll

Empfindungsseele
tastet im Raum
nach den Sternen
hingebettet
die Melancholie
im Nachhall
noch fragend
wohin

Hermann Schmieder

Endloser Nachmittag

Ich zähle
wieviel Bohnen
ein Pfund Kaffee hat

schäle Kartoffeln
für den Rest
des Monats

gieße die Blumen
bis die Farbe
aus ihren Blüten
tropft

Ein halbes Leben lang
pflegt eine Eintagsfliege
ihre kaum
benutzten Flügel

Endlich
um zwanzig Uhr
erwürgt
die Tagesschau
meine Langeweile

Ausbruchversuch

Ganz zeitig
will ich aufbrechen

Ganz luftig
will ich mich kleiden

Ganz leise
auf Zehenspitzen
will ich schleichen

Vielleicht gelingt
mir einmal
mir selbst
zu entkommen

Lothar Stengel- von Rutkowski

Sekunden

Wir sind oft Schablonen:
Du und Ich und „man“!
Tief in Höhlen wohnen
Unsre Seelen dann.

„Tag“ und „Guten Morgen!“
„Freilich“ … „Nein“ – „Vielleicht“ …
Oberflächen-Sorgen!
Randgespräche! Seicht!

Aber dann Sekunden,
Wagt es sich hervor:
Wirklich wahr empfunden …
Und „es“ sucht ein Ohr.

Tor zu einem Andern! –
Schau vor gleichem Bild.
Gehen wir zu Wandern.
Dasein wird zum Schild!

Freunde … Ehegatten ..,
Die sich weltenfern
Lang verloren hatten,
Trägt dann gleicher Stern.

Herbstlaub

Du bist mein Herbstlaub
und mein Abendsonnenstrahl
auf diesem späten Weg,
der bald im Nicht-Sein endet.

Es wird so vieles
blaß und lahm und taub,
und immer Weitrem bin ich
abgewendet.

Da schickt das Schicksal mich
vor deine Tür,
die Tür zu Seele, Haut
und Geistverstehen. –
Nun laß den Schnee,
laß Nebelstürme wehen!
Mich wärmt dein Wesen
bis zum letzten Laut! –

Die weißen Tulpen

Die weißen Tulpen sind
wie junge Nonnen.
So kelchverschlossen und
in sich versonnen.
Sie blühen neben
roten Rosenschwestern,
die manchmal tuscheln,
oder leise lästern,
und ganz profan und irdisch
in den Beten stehn. –
Die Weißen aber beten
Rosenkränze
und weihen ihres Lebens
Gänze
den stillen Welten,
die durch Seelen gehn.
Und, wenn das Laute
und die roten Farben
im Lärm des Alltags
Blütentode starben,
werden die Weißen nicht
am Tode darben.
Denn ihrer Kelche
fast sakrales Gelten
wird lange noch
durch mein Erinnern wehn!

Ingeborg Zahn

Ohne Titel

In manchen Augenblicken
reise ich ins Niemandsland,
bin Regen, Eis und Sonne
und zelebriere mit den Bräuten
in den Weißdornkleidern
eine Messe.
Wie ein Lied möchte ich sein,
ein leises –
oder eine Blume,
die sich träumt,
in Licht und Schatten.

Wortsamen

Wort an Wort
reihen sich Worte,
rufen den Mond,
den kalten,
den funkelnden Stern
und die Liebe.
Wort an Wort
lehnt sich das Wort
Welcher Laut
beendet den Satz?
Streicht der Vokal
das Herz,
das geschriebene
du?
Aus dunklem
ich
leise reisen,
auf Wiesen
Wortsamen säen.

Botschaft

In dieser Zeit
kann ich nicht bei dir sein,
meine Hände können dich nicht streichen.
Doch schick' ich dir den Wind,
den leisen,
weitgereisten.
Und wenn du deine Augen schließt,
hörst du mein Lied
von Blau und Nähe.
In dieser Zeit
kann ich nicht bei dir sein,
doch schick' ich dir den Wind,
den weitgereisten,
leisen …

Gunther Kressl
Kommen

Heller aus Licht
füllen sich Räume
greifen die Räder
Pfade wohin

Keller vergessend ent-
hüllen die Sonnen
reifen in Wildes
Gnade wofür

Tanz aus Schreien
ganz Verlockung
grellen Hahns

ans Erwachen
Kranz aprilen
hellen Tags –

Paaren

Fallen atmend
Grase Mond und
allen Galaxien
Vase sein

Malen fingerbebend
Bilder um Bilder deiner
kahlen Haut und
wilder Wein

Blind geboren
find ich Glut an
Glut der Farben

Kind um Kinder
sind im
Blut ertrunken –

Gehen

Rast an Schatten
Zehren aus den Briefen
fast schon stündlich

Gast – sein neigt sich
Lehren ausgedünnte
Last verlieren sich ge-
bären Einfachheiten

fand sich abends
Segel für den Schlaf
Vögel ziehen Linnen über

Land und Tau läßt
Pegel steigen gegen jede
Regel bis ins Ohr –

Horst F. Vorwerk
Gedankenreisen
(aus dem Zyklus „Obdachlos")

Mit der immer
halbvollen Flasche
stehe, sitze und liege ich
vor dem Hauptbahnhof,
sehe die schnelle Züge rasen,
fahre in Gedanken mit und
erwache immer wieder
an der selben Stelle.

Wanderung
(aus dem Zyklus „Obdachlos“)

Mit dem Volke Israels
durchwandre ich Wüsten,
das trockene Meer
und die Gruselkammern der Nacht,
schmachtend nach Wasser und Brot.
Immer das Land, das gelobte,
vor Augen,
sterbe ich
dem Ziele zum Greifen nahe.

Anklage
(aus dem Zyklus „Obdachlos")

Wen klag ich an,
den Staat, die Kirchen?
Wer kümmert sich nicht
um mein Leid
und läßt mich einfach
vegetieren?
Ich bin zwar nur
„das Risiko",
doch will ich
nicht mal Geld,
nur eine Bleibe.
„Kirche der Armen"?
– daß ich nicht lache!
Und „Wohlfahrtsstaat",
erklärt mir das einmal!
Ich klage an,
denn ihr versagt mir Hilfe,
mir selbst zu helfen,
das ist nicht mehr drin!

Luise Pohlschmidt
Elegie

Das Wort verliert sich, kann
Nichts fassen oder deuten.
Ob ich es suche – mit der Zunge
Den Wohllaut prüfe oder stammelnd
Den Sinn vom Unsinn scheiden will –
Ob ich auch finde, daß die Rose duftet
Und wundersam im schrägen Licht
Die fernste Ferne blaut, das Wort entzieht sich.

Erzählung ruft Vergangnes.
Und tausend Pläne zielen
Verwegen in die Zukunft.
Doch was der Augenblick,
Ein kurzer Lidschlag je an Bildern
Erfaßt und niemals halten kann,
Wieviele Leiden, welche Freuden
Ein einz'ger Puls erlebt, läßt sich nicht sagen.

Die erste Sünde ist
Das Wörtchen „wie".
Im Gleichnis soll das Urbild
Die flüchtige Erscheinung binden,
Den wilden Wechsel der Gezeiten
Im Unvergänglichen erlösen.
Jedoch es schafft nur Wirrsal,
Geheimnisvolle Fragen, die sich nicht enträtseln.

Vielleicht ist's möglich, daß
Musik die Welt uns deutet,
Das vielgestaltige Verströmen,
Mit jedem Herzschlag einig, wenn
In einer Welle
Der Rhythmus sich der Melodie vermählt
Und flüchtig-ewig, ewig-flüchtig
Das Lied erzeugt,
Das durch Äonen singt.

Frühling

Der Blüten Schmeichelduft hat nicht getrogen.
Ein neuer Frühling, wie ich nicht gedacht,
Hat meines Lebens halbzerbroch'nen Bogen
Auf einmal wieder heil und schön gemacht.
Ich gehe leicht durch eine heit're Welt,
In der mein Mund so frei wie früher lacht.

Wenn abends Stille in das Land einfällt,
Dann tanzt mein Herz und überspringt die Fernen.
Statt daß es zögernd seinen Schwung verhält,
Folgt es in kühner Bahn den hohen Sternen,
Vertraut sich ihrem sprühend-schönen Licht
Und braucht Geschwindigkeit nicht mehr zu lernen.

Es achtet nicht der Erde Schwergewicht,
Zieht über lichte Kreise sicher fort.
Vor Schmerz und Zweifel fürchtet es sich nicht.
Es findet seiner Sehnsucht Ziel und Ort.

Abend

Vom Purpurglanz der Sonne überblendet,
Schmiegt sich das Land vertrauend in die Nacht,
Nachdem es sich in Lärm und Hast verschwendet,
Sucht es den Schoß, der alles stille macht.

Beschwichtigt sind des Tages laute Sünden,
Medeas Grimm und Untat aufgehoben.
Der Himmel küßt den Blütenduft der Linden,
Und unser Herz ist ganz dem All verwoben.

Die Fernen können uns nicht mehr erschrecken.
Zu dir und mir zieht aller Sterne Bahn,
Uns nächtliche Erkenntnis aufzudecken,
Die wir im Tageslärm zu oft vertan.

Der Antwort nah, will ich sie nicht verlieren.
Ich treffe sie im Mittelpunkt der Welt,
Wo Sehnsucht und Erfüllung sich berühren
Und alles Suchen in ein Finden fällt.

Elvira Maria Slade

Gitterspiele

ein Fischer senkt
sein Netz
am frühen Dämmermorgen
in Abgrundtiefe
fängt ein
das Ahnen einer
fernen Unermeßlichkeit

im Zwielicht des
nahenden Abends
webt eine Schwarze Witwe
ihr Kleid
umschlingt
erstickend Erinnerung
grundloser Weite

ist es Zeit
ist es Nichts
ist es Ewigkeit

Verzweiflung
keine Lampen
an den Straßen von Ekbatana
auch in Babylon
verlosch das Licht
in den Sandsturm der Wüste
flüstere deine Fragen
an die wandernden Dünen
richte sie
nicht nur der Wind trägt
den Schrei aus den Gräbern
empor als Bote
dessen Botschaft den Empfänger
nie erreicht
denn die Antwort
erstickte im Sande der Dünen

jener Dünen
die wandern

jener Wind
der ihn bleicht

Raupenträume

silbervögelgesponnenes Graugewand
sei mein Gast Dunkelschwinge
schattensäend
auf steinfreien Wegen

Seidengespinst spinnwebenzart
entfliehe der Schönfärberfarbe
ausgebleichter
regenverrinnender Farblosigkeit

lichtspiralenumarmt
voll taugenährter Blütenblattkühle
gedankenwebend
im Aufwind sanftwiegender Milde

leichtfaltrig entschwebend
sehnsuchtslos
sonnenwärts
ich

Karl-Heinz Grünwald

I

Ich schreibe
Lieder
für dich
aus der zweiten
Tiefe der Meere
und des Bewußtseins,
weil ich dich liebe,
wie der Morgentau
die grünen Blätter,
ich tauche in dich ein
wie die Abendsonne
in den westlichen Ozean,
geistig und körperlich,
Haut an Haut,
Gedanke an Gedanke,
von vorne, von hinten,
von der Seite,
von oben und unten,
und du verschlingst mich
vaginotranszentral,
im Rhythmus des Pulsschlags,
und wir vernichten
die Zeiteinteilung
und ihre Normen.

II

Überall
außerhalb uns
erzittert die Erde
in Donner und Sturm
in Siege und Niederlagen,
und wir wiegen
unsere Hüften
in Sinne und Lust
und sind weder Sieger
noch Besiegte;
nur verflochtene
Seelen und Körper
in einem Buch,
das keiner liest

und wir sehen
Licht,
nur Licht
und das unendliche Meer.

III

Komm!
Laß uns gehen,
dorthin,
wo die Häuser
nicht aufeinanderfolgen
und wo die Bäume
auf Bäume
Schatten werfen,
laß uns gehen,
eng umschlungen
und eine neue Zuflucht
suchen,
laß uns weggehen
von den
zuhälfte
gedachten Gedanken,
von dem gestohlenen Sein,
von den verlogenen Argumenten
und dem Mißtrauen
gegen sich selbst
und die Zukunft,
laß uns eingehen
in alle Sinne
und den Geist
und den Körper
und das Licht.

Ursula Mahr

Bedrohung

Schleif
dir das Messer an
den Fußsohlen schneid
dir die Karte in
die Hand sieh
nach den Sternen
den unbestechlichen
Führern und schleif
dir das Messer leg
in blutigen Schuhen
eine falsche Spur vielleicht
wirst du sie täuschen sieh
nur nach den Sternen geh
auf zerschnittenen Füßen und
schleif dir das Messer ich höre

sie kommen

Kleine Stadt

Wie eine Welle
trägst du mich weich
in vertrauter Brandung
hältst mich gefangen
seit langem und doch
bleibt dein täglicher
Rhythmus mir fremd.
Es weben die Spinnen
an deinem Geheimnis
hinter brüchigem Fachwerk
und wie eine Welle
wirfst du mich täglich
an fremdes Land.

Kreidestriche

Reifenspuren
Kinderschritte
Reifen quietschen
Kinder lachen
Kinder schrein
und auf der Straße
Kreidestriche
schwarze Spuren
dunkle Flecken
bleiben nur
die Kreidestriche
wäscht der
nächste Regen
fort

Susanne Spah

Die Zeit umnamen

Ich übergebe mich den Tagen
einer anderen Zeit
in der Veränderung
sich widerspiegelt:

Die
bin ich im Jetzt
ein Teil des Weges
durch Menschen und durch Gräser
Refugien, Städte und durch Nullgesichter
sehe ich in diesem Bild:

Edelsteine und Perlen
in meiner Gedankenkrone
funkeln und werben –
sie beleuchten noch ein Mal
Deinen Namen
in dem bereits ein anderer
geschrieben steht

Die Liebe formt den Moment
zum vollkommenen Rund
ich bilde mir ein
ich bin alles
bis zur nächsten Fraktur

bis zur nächsten Befruchtung
einer elementaren Idee –
zu früh oder zu spät
Emphase oder Fossil
wenn die Dinge
die Zeit umnamen

Von diesem Weg zu gehen
scheint
als wäre ich
ihn nie gegangen

hier geht ein Stehenbleiben
hier bleibt kein Gehen

wer die Fremde kennt
der fühlt sich Dir verwandt
wer Deine Zeichen versteht
kann Deine Einheit ahnen

weiße ungeträumte Nachtnatur

Dich wieder zu gehen
wäre ein anderes Gehen
Dich wieder zu suchen
hieße Dich nicht mehr finden

Du riechst und wirkst
in Bildern der Erinnerung

weiße ungeträumte Nachtnatur

Es lag neben dem
was mein war
verführerisch

mit skeptischem Verlangen
griff meine Hand
in die vermooste Gelegenheit

in dieser langen Stunde
suchte ich nach den Dingen
und fand mehr
als ich verlor

Anneliese Merkel

Am Brunnenrand

dem dunklen
Ohr
der Nacht
singt
meine Einsamkeit
ihr tönern
Lied

die altergrauten
Fragen
murmeln müde
ihr zerschlissenes
Warum

ihr Echo
schwappt
ins Morgengrauen
blechern
über'n Brunnenrand

ich sitze
vornübergebeugt
und lote
die Tiefe
aus

Das Namenlose
dieses Etwas
das mit den Namen
Schmerz
und Sehnsucht
nicht
zu nennen ist

und sich
zuweilen weitet
bis in alle
Nervenfasern

und dennoch:
manchmal
legt es
in Sekunden währendem
Erbarmen
wie eine unsichtbare
Hand
sich auf die heißgedachte
Stirn

als ein versiegeltes
Versprechen

Himmelfahrt

Er
in den Lüften

Zugvogel
ohne Wiederkehr

zurückgelassen
das silberne
Versprechen
für irgendwann
irgendwo

nirgendwo sichtbar
die Taube
mit Hoffnungsgrün
im Schnabel

wir
halten weiterhin
Ausschau

nach der goldenen
Stadt

Margot Seidel
Küß mich wie ein Eskimo

Küß mich wie ein Eskimo
Komm in meinen Arm

Laß die Flocken und die kühlen
Winde wieder Winter spielen

Hier in unserm Liebesiglu
Ist es tropenwarm

Ohne dich

Wenn die Mücken auf und ab und
Umeinander tanzen

Wenn die Schatten länger werden
Und zur Nacht zusammenfließen

Ess ich Brot das nicht gebrochen ist
Rede mir gut zu

Trinke Wein und stell mir vor ich
Wäre nicht allein

Dann singt der Wein und wiegt mich sanft
In deinen Armen ein

Mein Reim

In deinen Augen
Blühen meine tausendschön

In deinen Händen
Stoßen meine Hände auf Verstehn

In deinen Armen
Halten meine unser Wiedersehn

In deinen Träumen
Gehen meine Träume auf

In deinem Leben liegt
Mein Lebenslauf

Barbara Hundgeburt-Grubow

Jahreszeit

Ich weiß, der Sommer endet
deine Schrift an der Fensterscheibe
habe ich gelesen, sie rann

in die Gewölbe des Abends
noch untergangsrot
spült Mittagsstaub von den Füßen

hinter geschlossenen Augen
noch einmal sterben –
standest du still

Flut steigt, wirft den Wind
ich wache, ich weiß
in Schneewehen sprichst du weiter

So rot

Die Sonne war so rot heute abend
laß mich hier warten
die Straße fließt mir fort
vielleicht bin ich zu spät bei dir
im staubroten Staub
ist der Horizont hier
die Sonne war
so rot heute abend
und Augen neben mir
waren Augen am Abend
die Straße strömt
ich will zu dir
vielleicht zu spät, verzeih
die Sonne war so

Chr Lengsholz
die sich erinnern

fünfzig jahre sind nicht
gleich fünfzig jahre

den einen ist die zeit
weit genug weg um sie
vergessen zu können
den anderen ist nicht
zum vergessen zumute
angesichts dessen was
geschah

es sind nicht die jungen
die sagen:
was kümmert uns die
vergangenheit
es sind nicht die alten
die sagen:
erinnert euch an das
schreckliche damit es
nicht mehr geschieht

und dann verstehen sie
die welt nicht mehr
die da hofften
die wahrheit stirbt
mit ihnen aus

abschied

was heißt das jetzt
alles ist noch da
schwingt mit
erzählt
lebt auf
ihr selbst lacht und redet

abschied?
ich seh euch noch
wie soll ich euch
vermissen lernen

sag einer:
„euer letzter tag“
was fang ich damit an
beginnt damit der schmerz
steht die erinnerung am weg

ihr geht ich bleibe
alles nehmt ihr mit
und alles bleibt
der letzte tag
die zeit davor
wann ist's erinnerung
ich hab euch noch

ich sage abschiedsworte
höre euch
lausche auf den schmerz
die letzten blicke
der allerletzte mit der
hand im wind

ich hab euch noch gehabt
und jetzt
und dann
wann
wieder

Aprilia Zank

Der Dschungel

Wir sind schon so lange
zusammen,
daß unsere Stecklinge
zu Bäumen gewachsen sind
ein Dschungel
mit grünen Schlangen
um die zarten Triebe
tropfende Säfte
von überreifen Früchten
hinter den biegsamen Stämmen
Katzenaugen
auf der Lauer
der gierige Schrei
Paarungsgeflüster
die Affen kichern
und
schon wieder war einer zu schwach

in unserem Schlafzimmer
verdaut der Python seine zehn Tauben

Ach das ferne Land
an Gottfried Benn

Ach, das ferne Land
mit dem Herzen zerissen
für das Rosinenbrot
zu hoch der Preis

zu tief die Nacht
Zeit ausreichend
für Selbstgespräche

der Spiegel bleibt stumm

So fallen die Tage
schwer wie Zugvögel
über stumpfe Seen

das ausgefranste Bild im Rock
der Brief ungeschrieben

Ach, das ferne Land
nur nicht zurückblicken
und keine Kriegsschiffe
flaggten halbmast

ABBENATH, GERTRUD, * 1923, wohnhaft Gelsenkirchen, Rentnerin/Hausfrau. Zahlreiche Veröffentlichungen in Anthologien und Zeitschriften. 1989 1. Preis [illegible] Verlag. Seite 167

ANDERKA, JOHANNA, * 1933, Ulm; Sudetendeutscher Kulturpreis für Schrifttum 88, Hafiz-Preise 1988 und 1989; zahlreiche Veröffentlichungen u. a. Lyrikband „Ich werfe meine Fragen aus", Edition L. Seite 21

BARTSCH-SILING, KLAUS-ULRICH, * 1915, lebt in Dortmund. Bis 1981 Gymnasiallehrer. Div. Lyrikbände, 1990 „Erinnern und vorwärtsschreiten", Edition L. Seite 105

BAUER-STÄB, ULRICH, * 1968, wohnhaft in München, Gedichtband „Sanfter Hauch Glückseligkeit", Student. Seite 124

BAUR, GABRIELE, * 1948, Lehrerin, lebt in Stockstadt/Main; Lesungen, Beiträge in Anthologien. Seite 18

BESELER, URSULA, * 1915, wohnhaft in Wuppertal, Journalistin. Veröffentlichungen in Zeitungen, Zeitschriften, Anthologien; Lyrikband „Sand zwischen den Zähnen". Lyrikpreise: „Unsterbliche Rose" (1981) und „AWMM-Lyrikpreis 1983". Seite 15

BEURER, HELGA, * 1940 in Stuttgart und dort aufgewachsen. Heute noch wohnt sie dort und arbeitet als Chemotechnikerin. Lyrik und Prosa schreibt sie seit sechs Jahren, veröffentlicht in Anthologien, Fachzeitschriften und im Selbstverlag. Seite 137

BIEDERMANN, MARGARETE, * 1931, wohnt in Kulmbach; zahlreiche Veröffentlichungen. Buchbände „Alte Lieder – neu gesungen" und „Bleibende Bilder". Mitglied des Kulmbacher Literaturvereins. Seite 131

BILLIA, MARIO, * 1947, lebt in CH-Zeiningen; Chemiker; seit zwei Jahren regelmäßig in der Neuen Zürcher Zeitung mit Anagrammen und Anagramm-Sonetten; Das große Buch der Haiku-Dichtung. Seite 126

BÜYÜKEREN, HILDEGARD, * 1935, lebt in Essen, langjährige Tätigkeit als Lehrerin. Gedichtveröffentlichung „Tagwärts", 1989 Edition L; in diversen Anthologien sowie in „Das Goetheanum", Wochenschrift, Schweiz. Seite 54

CHAKRAVORTY, JULIANE, * 1941, wohnhaft in Maisons-Laffitte bei Paris. Bildende Künstlerin. Veröffentlichung von Gedichten in Zeitschriften und Anthologien. Seite 74

COLBERT, HELGA, * 1939, wohnt in München. Buchveröffentlichungen: „Der Mandelbaum" 1969; „Der Leuchtturm" 1975; „Der Mensch und die Folgen seiner Existenz", Religionsphil. Essay. Beitr. in versch. Anthologien. Seit 1982 Mitarbeit in Zeitschrift: „Licht vor dem Dunkel". Seite 170

CORDE (Huditz), ELSBETH, * 1926, lebt bei Wien. 3 Lyrikbände: Begegnungen, Jahresringe, Wortmeldung der Stille; Traumgrund der Wirklichkeit; Bd. 1/89 in der Reihe „Autoren stellen sich vor" (Anders, Corde). Literaturpreis in Edition L „Lyrischer Oktober" 1990. Seite 57

DREHER-RICHELS, GISELA, bildende Künstlerin, Schriftstellerin. Bücher „Spur im Sand" „Ulyssa oder die Suche nach Ithaka", „Licht durchs Gezweig unserer Schatten". Seite 51

EBERT, CHRISTINE, * 1963, lebt in Freiburg i. Br.; Veröffentlichungen: 1988 „Laß Dir nicht die Flügel stutzen“ (Gedichte und Kurzgeschichten), Mitautorin der Anthologie „Augen-blicke“, Seite 146

EHRICH, MARGOT, * 1936, wohnt in Undeloh, freie Schriftstellerin. Kommunalpolit. Lokal- und Kalendertagspitzen unter dem Pseudonym „Pauline“, RGA Remscheid; außer Prosa Gedichte. Seite 122

FISSLAKE, LIESLOTTE, * 1914, lebt in Neu-Ulm, Hausfrau. Veröffentlichungen: „Regenbogenlieder“, „An seidenem Faden“, „Und sie dreht sich noch.“ Lyrik in Anthologien und Zeitschriften. Seite 120

FLEISCHER, HELGA, * 1926 in Köln. Notreife, Techn. Dienst, Lesungen. Zugehör. Drucke auch zu Vernissagen; in Anthologien; Schreibe aus Eingebung und Imagination, seit 1986 bewußt komprimiert. Seite 159

FÖRSTER, HELGA, * 1949, Dipl. Sozialpädagogin (FH), lebt in Bad Tölz; Veröffentlichungen in Anthologien sowie in Literaturzeitschriften. Seite 117

FRAASS, MAX PHILIPP, * 1949, Mathematikstudium, selbständiger Unternehmensberater (EDV); lebt in Rißtissen/Ehingen. Veröffentlichungen: „Das Licht nimmt Horizonte mit“ (Edition L). Seite 71

FUST, ELLEN, * 1939, Veröffentlichungen (Lyrik, Kurzprosa, Erzählungen) in Zeitungen und Illustrierten sowie in mehreren Anthologien, lebt als freie Schriftstellerin in Hamburg. Seite 115

GEHEB, CHRISTINE, lebt in München. Seite 113

GEISSLER, CORNELIA, * 1959, Industriekauffrau, Tübingen, Veröffentlichungen in Zeitungen, Zeitschriften und Anthologien, Preisträgerin beim Wettbewerb „Jugend schreibt“ 1985. Seite 135

GEIST, BEATE, * 1962, Studium an der FH für Gestaltung Würzburg/Schweinf.; seit 1988 Diplom Grafikdesignerin; lebt und arbeitet in Würzburg; mehrfach Beteiligung an Anthologien, Lesungen, Veröffentlichungen, Ausstellungen im regionalen Bereich. Seite 12

GÖRNER, PETER, * 1946, Minden/Westf., Verkaufsleiter. Veröffentlichungen: Gedichtbände „Flutlicht“, „Rauchzeichen“, „Zärtliche Tage“ und „Perlmutt“ sowie Publikationen in zahlreichen Anthologien. Seite 181

GOERTZ, BRIGITTA, * 1930, Haus- und Landfrau, lebt in Nieder-Olm, 2 Gedichtbände, 2 Jugendbücher (vergriffen). Seite 172

GRIMME, KARL-HEINZ, * 1952, Wohnsitz Höxter, Beruf Maschinenschlosser – zur Zeit in Umschulung zum Verwaltungsangestellten. Seite 69

GRÜNHAGEN, JOACHIM, * 1928, lebt in Hannover. 1971 Preis für Prosa „Junge Dichtung in Niedersachsen“. Zwei Erzähl-, neun Lyrikbände. Beiträge in 90 Anthologien u. a. Seite 175

GRÜNWALD, KARL-HEINZ, * 1943, studierte Philosophie und Zahnmedizin, promovierter Doktor der Zahnheilkunde, praktiziert als Zahnarzt in München, schreibt Lyrik und Dramen. Veröffentlichung: Am Horizont der Gedanken – Eine Trilogie der Zwischenzeiten, Edition L. Seite 211

HERR, MARIANNE, * 1933, lebt in Freiburg. Lyrik: „Sommertau“, „Durch die Spiegel gehn“. Seite 27

HUNDGEBURT-GRABOW, BARBARA, * 1943 in Prag. Dichterin, Lehrerin, Hausfrau und Mutter, lebt in Alfter. 2 Veröffentlichungen (Lyrik und Prosa): „Spiegelbilder“, 1985, „Lichtspuren“ 1989. Seite 226

KAAROW-HIMMELREICH, THEA, * 1918. Buchhändlerin, danach Besuch der Werkkunstschule Dortmund und der Folkwangschule Essen, tätig in Malerei und Lyrik. Bücher: „Ein kleines Buchtheater in Gedichten und Scherenschnitten“, „Wenn du leise sprichst“. Vertreten in verschiedenen Anthologien. Seite 111

KAWOHL, MARIANNE, * 1945, lebt in Freiburg i. Br., Diplom-Pädagogin, Schriftstellerin; etwa zwanzig eigene Buchveröffentlichungen, Gesamtauflage über 150 000, zahlreiche Beiträge im Rundfunk, in Anthologien, Zeitschriften etc. Zwei ihrer Bücher wurden in die Blindenschrift übertragen und eines in die finnische Sprache übersetzt. Ihr Bestseller: „Ich gestatte mir zu leben“. Seite 164

KLEVINGHAUS, WILMA, * 1924, lebt in Erkrath, Lehrerin, jetzt Hausfrau. Seite 109

KONRAD, KURT, lebt in Basel, schreibt ausschließlich Lyrik; Gedichtband „Wort für Wort“, weitere Veröffentlichungen in Zeitschriften, am Poesie-Telefon und in Anthologien. Seite 60

KRESSL, GÜNTHER, Dr. med., geb. 1934; wohnhaft in Achim. Augenarzt in Bremen. Lyrikpreis, Fotografiepreise. Buchveröffentlichungen: „Behutsam geb ich Linien“, „Mit den Augen des Krebses“, „Dein blaues Fenster“. Zahlreiche Grafik-Lyrik-Editionen. Maler und Grafiker. Einzelausstellungen im In- und Ausland. Beteiligung an Kunstmessen und Biennalen. Seite 199

KUDLA, DIRK, * 1968, wohnt in Lahnau-Atzbach. Jurastudent. Seite 81

KÜHN, HERBERT, * 1923, wohnhaft in Donaueschingen-Hubertshofen, Veröffentlichungen in zahlreichen Anthologien. Seite 178

KUPFER, MARTIN, * 1934, lebt als Berufsschullehrer in Stade a. d. Elbe. Seite 107

KUTSCHER, FRANZ A, * 1950, lebt in Offenbach am Main. Literarische Arbeitsgebiete: Lyrik, Essay, Satire. Veröffentlichungen in Zeitschriften, Anthologien und im Hörfunk. Mehrere Anerkennungen und Preise. Seite 143

LANG, VERA, (Pseudonym Julia Peres), * 1959, lebt in Fulda. Gedichte, Kurzgeschichten, Märchen in Anthologien, Literaturzeitschriften und Tageszeitungen. Seite 100

LEMERZ, OLGA L., * 1937, Rechtspflegerin, Schauspielausbildung, Pädagogin, Mitherausgeberin des „Zeilenspiegels“, Literaturservice, Redaktionsmitglied des „Zenit“. 1987: Märchenanerkennungspreis, ein Prosaband, Mitarbeit an 15 Anthologien; Lesungen. Seite 98

LEMP, LISELOTTE, * 1916, lebt in Hamburg: „Die Augen“, Drama (1946/50); „Die Lilith“, Schauspiel (1981); „Magischer Raum“, Liebesgedichte (1988); Hörspiele, Zeitungsveröffentlichungen und Lyrik in bisher rund 20 Anthologien. Seite 95

LENGSHOLZ, CHR., lebt in Köln. Seite 228

LEONHARDTSBERGER, KARL P., Dr. phil., * 1945, lebt in Neu-Isenburg. Veröffentlichungen: Lyrik sowie Kunstphilosophische Schriften; Teilnahme an mehreren Anthologien. Seite 64

LOHSS, OTTI, Abitur, Pädagogin, Studium der Theaterwissenschaft, Germanistik, Kunstgeschichte. – 4 Lyrikbände, Prosa, Kritiken, wiss. Arbeiten. – Lyrikpreis „Die Rose“. Für kulturellen Einsatz, (Vorträge etc.), – die GOETHE-MEDAILLE der Stadt Wetzlar. Seite 62

LUCE, RAINER, * 1938, lebt in Troisdorf bei Bonn. Studium Germanistik, Sport, Allg. Sprachwiss., jetzt Berufsschullehrer. Veröffentlichungen in Anthologien. Seite 154

MAYER, NORBERT J., wohnhaft in München. Dozent an der Hochschule der Künste Berlin und Uni München. Heute überwiegend therapeutisch tätig. Veröffentlichungen von Stücken, wiss. Artikeln. Preisträger „Lieder der Zeit“. Seite 184

MEIER, ARNO VOLKER, * 1954, wohnhaft in Freiburg. Beruf: Kaufmännischer Ausbilder. 1976 Sonderpreis des Landes Baden-Württemberg für Theaterstücke in dem Jugend-Wettbewerb „Schreib ein Stück“. Seite 66

MERKEL, ANNELIESE, * 1949, gelernte Buchhändlerin, lebt seit 13 Jahren als Verlagsangestellte in Stuttgart. Erstveröffentlichung im R. G. Fischer Verlag, Gedichtband „Ich will verwundbar sein“, in der Edition L „Ich streue Wortsamen aus“. In verschiedenen Anthologien vertreten. Erster Preis für Lyrik bei den Aschaffenburger Büchertagen 1990. Seite 220

MILDENBERGER, ADELHEID URSA, * 1948, Lehrerin, lebt in Sulz/N. Seite 186

MILLER-WALDNER, JUTTA, * 1942, lebt in Berlin, forschungstechnische Assistentin. Veröffentlichungen in Literaturzeitschriften und Anthologien, eine Auszeichnung in einem literarischen Wettbewerb. Seite 133

MUHR, URSULA, * 1955, Diplom-Verwaltungswirt (FH), Tätigkeit als Berufsberaterin in Aschaffenburg, Veröffentlichungen in Anthologien und Zeitschriften. Mitglied im Verband Fränkischer Schriftsteller e. V. Seite 214

ODY, ANNETTE DOROTHEE, * 1952, Malerin und selbständige Keramikmeisterin, diverse Ausstellungen mit Lesung, keramische Arbeiten für Luigi Colani, zur Zeit: Studentin in Literatur- und Kunstwissenschaften. Seite 93

PIXNER, BRIGITTE, geb. in Wien, Dr. jur., ÖSV und PEN. Lyrik, Prosa, SF, Roman, Aphorismen. ’81–’87 Hrsg. von „Bakschisch“ – Zeitschr. für humorv. und skurrile Texte. – Veröffentl. in Zeitungen, ORF, Anthologien, Schullesebüchern, Kalendern. – 2 Gedichtbände, 1 Erzählband. Theodor-Körner-Preis ’85 (für Roman). Seite 91

POHLSCHMIDT, LUISE, Dr. med., * 1919, lebt in Bad Kreuznach, Gedichtband „Persephone“, Edition L. Seite 205

REICHLING, EMMI, * 1927, lebt in Kirchhundem-Heinsberg, „Ein Blumenstrauß" [illegible], „[illegible]" [illegible], 1 Tonanthologie, viele Beiträge in Zeitschriften und Anthologien. Mitglied der RSGI, Gedok, Deutsche Haiku-Gesellschaft, Gesellschaft für Lyrikfreunde. Seite 89

REINHOLD, KLAUS, * 1943, lebt in Lübeck, Angestellter. Veröffentlichungen in Wochen- und Tageszeitungen. Seite 148

ROLOFF, HELGA, Dr., * 1942, lebt in Kaiserslautern, Ärztin, Veröffentlichungen in mehreren Anthologien und Zeitschriften. Seite 49

SEIB-SCHAEFER, ELLEN, geb. in Bad Münster a/Stein, lebt in Wiesbaden. Lyrik und Gestaltete Photographie. Drei eigene Gedichtbände. Mitwirkung in zahlreich Anthologien. Lesungen. Ausstellungen. Einen 2. Lyrikpreis im Wettbewerb „Unsterbliche Rose". Den 1. Preis im AOK-Photowettbewerb. Anerkennendes Dokument von Museum of Haiku, in Tokyo. Seite 157

SEIDEL, MARGOT, Dr. phil., * 1943, lebt bei Bonn. Wiss. Bücher, Aufsätze, Rezensionen, 4 Lyrikbände, 1 Roman, Beiträge in Zeitungen und Anthologien. Mitglied des Freien Deutschen Autorenverbandes. Zu finden u. a. im Kürschner. Seite 223

SIEGEL, HILJA, Dr. med., * 1923 in Estland; seit 1944 in Deutschland. Studium der Medizin und Psychologie in Bonn; dort wohnhaft. Seit 1952 approbierte Ärztin; Fachgebiete: Neurologie und Psychiatrie/Arbeitsmedizin. Veröffentlichungen von Lyrik in verschiedenen Periodica und im Almanach der deutschen Schriftsteller-Ärzte. Seite 141

SIKORA, FRIEDHELM, * 1950 in Köln. Studium der Literarurwissenschaft, Theaterwissenschaft und Philosophie, MA. Nach Tätigkeiten als Lehrer und Dozent seit 1984 freier Schriftsteller. Verfasser von Lyrik, Prosa, Essays, Hörspielen und Literaturkritik. Von 1987–89 Mitherausgeber der „Nürnberger Blätter, Ztg. für Literatur und Philosophie." Lebt seit 1989 im LdKrs. Erlangen. 1990 Preisträger „Lyrischer Oktober". Seite 42

SLADE, ELVIRA MARIA, * 1939, wohnt in Mettman. Diplom-Bibliothekarin. Gedichtband „Am Rande der Zeit" Edition L, Mitarbeit bei verschiedenen Anthologien in Deutschland und der Schweiz. Seite 208

SPÄH, SUSANNE, lebt in München. Gedichtband „Die Zeit umnamen", Edition L. Seite 217

SPIERING, LUISE, * 1919, wohnt in Bremen, Schriftstellerin. Lyrik in bisher 18 Anthologien sowie in Literaturzeitschriften, Kurzprosa in Zeitschriften. Seite 87

SCHAFFERT, ELISABETH, Dr., * 1950, Ärztin in Mosbach/Baden. Lyrikband „Zeitreise". Seite 189

SCHMID, ELISABETH, * 1953 in Schwäbisch Gmünd; Pädagogin und freie Autorin in München. Seite 128

SCHMID, NORBERT, * 1958, Sozialpädagoge. Veröffentlichungen in zahlreichen Anthologien und Literaturzeitschriften. Einzeltitel: „Augen und Steine" Gedichte, „In hundert Jahren" Gedichte, „Goldene Zeiten" Drama, „Sprachschatten" Gedichte. Seite 24

SCHMIDT, WERNER HELMUT L., ObStudRat i.R., * 1920 in Bochum, Kindh. u. Abitur in Fulda, wohnt in Bad Nauheim. Studium v. Theaterwiss., Vgl. Lit. Wiss., Kunstgesch. Staatsexamen a. d. Universität Mainz in Germanistik, Gesch., Philosophie. Veröffentl. In über 30 Anthologien sowie in lt. Zeitschriften. Schreibt vorwiegend Lyrik, doch auch Satire u. Prosa. Ausdrückl. Anerkennung d. Jury „Soli Deo Gloria". Vertonung von 8 Gedichten durch den Komponisten Prof. Dr. Stephan Cosacchi. Seite 83

SCHNITZLER, HERMANN, * 1931, wohnhaft in Aachen, Holzkaufmann. Gedichte bisher in „Edition L", „LOG" und „Literatte". Gedichtbändchen „Aufgehobene Augenblicke". Seite 191

SCHRÖDER, WOLFGANG, Dr. phil., * 1949 in Bielefeld, Literat und Lehrer, lebt in Warstein/Sauerland; Promotion über Beckett; Essays, Prosa, Aphorismen, Lyrik; „Reflektierter Roman" (1981); „Verteidigung des Verlernens" (1988). Seite 35

SCHÜTZ, FRANKA, * 1943, wohnt in Köln, Buchhändlerin, Veröffentlichungen in Zeitungen und Zeitschriften. Seite 30

STEINCKE, HEINZ, * 1927. Volkswirtschaft, Philosophie (Hamburg, Bonn, Heidelberg), Dipl.-Volkswirt. Dr. phil., Unternehmens-Direktor. 1967 bis 1971 Aufbau und Mitherausgeber der Literaturzeitschrift *die horen*. Initiator „Lyrischer Oktober". Veröffentlichungen in Zeitsvchriften. Buch: „Erzählen Gedichte von der Sprache" (1984). Gedichte: „Sprachstörungen" und „Umwege", „Nachrichten von Linkeus" und „Kreuzweg". Buch: „Geisel des Lebens: Bürokratie" und „Egalistisches Manifest". Seite 151

STENGEL V. RUTKOWSKI, LOTHAR, * 1908 in Kurland. Medizinaldirektor i. R. Lyrikbände: „Die Geschichte des Einhorns", „Vogelflug und Seinminute", „Im Spiegel des Seins", „ Der Wanderer, Bilder zwischen Tag und Traum", „Jahreslauf und Lebensspur". Lebt in Korbach. Seite 193

STRAUSS-ASENDORF, HEIDE, * 1934, Schriftstellerin, Ballettpädagogin, Lyrikpreis „Lyrischer Oktober" 1990. Lebt in Oberurel. Seite 102

STROMSZKY, LISA, Saarlouis, Kulturpreis des Landes Burgenland für Literatur, andere Auszeichnungen, Roman, Erzählungen (in mehreren Bänden), Hörspiele, vier Bände Gedichte. Seite 9

STURM, KARSTEN P., * 1953, lebt in Worpswede. 3 Gedichtbände. Literatur im Rundfunk und in Anthologien. 1986 Nieders. Nachwuchsstipendium, 1989 11. Preis im Lyrikwettbewerb ‚Die Brücke', 1990 Stipendium Atelierhaus Worpswede. Seite 33

v. TRAINER GRAUMANN, THEA, * 1928. Fünf Buchveröffentlichunge, 41 Anthologien. Stipendien des Landes Niedersachsen. Auszeichnungen der Stadt Rehburg und der Stadt Regensburg. Bundesverdienstkreuz am Bande der Bundesregierung. Erster Preis 1990 bei dem Literaturwettbewerb in Konstanz. Seite 161

VOLKA, WILLI, * 1941, wohnt in Hannover, Angestellter, Veröffentlichungen in verschiedenen Anthologien. Seite 40

VORWERK, HORST FRIEDRICH, * 1933, freiberuflicher Schriftsteller, Schauspieler, Marketing- und Werbeberater. Seite 202

de VRIES, KATJA, lebt in Hamburg. Zahlreiche Buchveröffentlichungen. Seite 79

WEISE, SONYA, * 1954 in Karlsruhe. Nach Abitur Musikstudium in Karlsruhe und Würzburg. Gesangspädagogin. Lyrikband „Gedanken der Ruhe“. Seite 77

WENZEL-GLISMANN, HELGA, * 1928, lebt in Flein bei Heilbronn. Pädagogische und kaufm. Ausbildung. Artzsekretärin und 14 Jahre leitende Position im Buchhandel. Lyrik- und Kurzprosa-Veröffentlichungen. Mitgl. im FDA. Seite 46

WILLE, KÄTHE, * 1922. Geburts- und Wohnort Bergneustadt, Jugendleiterin, heute Rentnerin. Vier Einzeltitel, Mitarbeit in ca. 50 Anthologien, einige Preise. Seite 139

ZAHN, INGEBORG, lebt in Dieburg. Seite 196

ZAKL, CHRISTEL, * 1926 in Solingen. Studium Wirtschaftswissenschaften in Frankfurt a/Main, Dipl.-Hdl., OStR i. R., schreibt Lyrik und Prosa in Zeitschriften und Anthologien. Preis Autorentage Konstanz 90. Seite 38

ZANK, APRILIA, * 1954 in Rumänien, seit 1978 in München. Beruf: Lehrerin für Englisch/Französisch. Promotionsstudium in Psycholinguistik. Veröffentlichungen in Anthologien und Zeitschriften. Auszeichnung bei dem Vera-Piller-Lyrikwettbewerb. Seite 230